티가 나는 교사의 학교생활 이야기

BOOKK

나는 교육실천가 2

티가 나는 교사의 학교생활 이야기

저 자 | 글 강신진
그림 김종숙

발 행 | 2023년 12월 30일
펴낸이 | 한건희
펴낸곳 | 주식회사 부크크
출판사 등록 | 2014.7.15.(제2014-16호)
주 소 | 서울특별시 금천구 가산디지털1로 119
(SK 트윈타워 A동 305호)
전 화 | 1670-8316
이메일 | info@bookk.co.kr

ISBN | 979-11-410-6151-7

www.bookk.co.kr

학생에게
배울 것보다는
무언가
해야 할 것을 주어야 한다.

무언가를 하다 보면
자연히 생각하게 된다.

그리하면
배움은 저절로 따라온다.

- 존 듀이 -

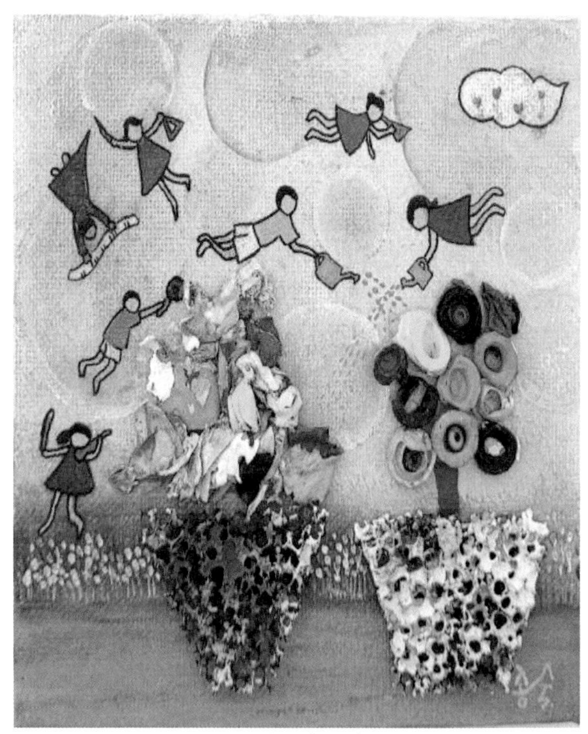

그림 김종숙

차 례

2부
즐겁고 행복한 수업 이야기

3부
과정 중심 수행평가 실습 이야기

4부
행복한 삶을 위한 교사의 길

5부
부록

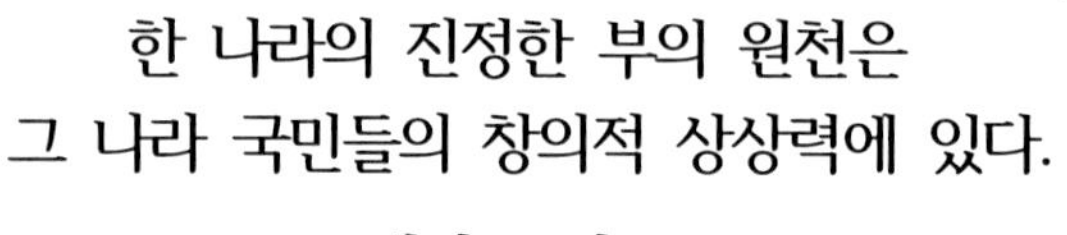

한 나라의 진정한 부의 원천은
그 나라 국민들의 창의적 상상력에 있다.

- 애덤 스미스 -

회상 53X45 5㎝, 김종숙

들어가기

Learning by Doing

수업은 교학상장(教學相長)이다.

자신의 수업에 고민이 없는 교사는 없다. 교사는 수업으로 학생에게 행복과 소질을 찾아주는 Giver이며, Helper이고, 퍼실리테이터(Facilitator)입니다. 학생에게 꿈과 희망을 품고 생활하도록 지시하고 격려하고 재능을 찾아주는 일이다.

교사의 일상은 수업의 연속이다. 하루, 일주일, 한 달, 일 년, 수십 년 교직 생애 기간 반복한다. 교사는 이 일을 평생하는 일신우일신(日新又日新)의 삶이다. 교육에 정답은 없지만, 교육에 정석과 정성은 가득합니다.

수업은 역지사지(易地思之)이다. 교사 본분은 수업이며, 배워서 남 주는 삶이다. 가르치며 일기나 수업일지를 쓰면, 가르침에 대해 성찰하게 된다. 이는 경험에서 나오는 깨달음이다. 가르치면서 보람을 얻고 만족을 느끼는 일이며, 사명이라 생각한다. 교사의 학교 일상에서 느낀 학교생활 경험을 나열했다. 교직 수행에서 자랑과 실수한 내용, 교수 학습에 대한 경험을 제공하는 안내서입니다.

이 책은 교사의 경험과 사례를 나열한 정보이다. 독서의 가치는 경험자의 간접 정보요, 반면교사(反面教師)이며, 삶의 지혜가 됩니다. 도서 『교육실천가』 내용도 포함한 학교의 일상에서 경험한 교육과정과 교수·학습의 내용입니다.

1부는 신나는 학교생활 이야기로 수업에 대한 경험과 업무, 행복한 교사 학교생활 경험을 나열하였다. 기술 교사는 학교에서 중추적인 업무를 담당하는 경우가 많다. 방송, NEIS, 학생 관련 업무 등을 담당했다.

2부는 즐겁고 행복한 수업 이야기 교사의 공개수업에 관한 사례와 구체적인 내용에 대한 기록이다. 기술 수업 내용과 방법과 즐겁고 행복한 수업을 중심으로 서술했습니다.

3부는 과정 중심 수행평가 실습 이야기 교사의 수업에서 성공과 실수의 경험에 관한 내용입니다. 실습 계획과 준비, 과정 평가 방법 등 일부 사례를 제시합니다.

4부는 행복한 삶을 위한 기술 교사의 길, 교사 경험으로 바라본 세상을 그려봅니다. 교사는 평생 배우며 가르치는 삶이다. 미래인재를 키우는 역량에 대하여 살펴봅니다.

5부는 부록이다. 교수·학습 지도안의 약식 사례이지요. 교사는 평생 공부하며 가르치는 삶에 대하여 알아봅니다.

이 책은 교사의 일상 경험과 몇 가지 수업 사례를 안내하고 사진과 학생 작품을 실었다. 교사는 수업과 교무(校務)업무, 담임 등 생활지도를 담당하며, 평가하고 학교생활기록부에 기록한다. 교사로서 연구하고 가르치는 방법을 찾아 즐기며 행복한 학교생활 하시길 바랍니다. 가르침과 배움을 게을리하지 말아야 하고, 이를 지속하는 게 교사의 삶입니다. 책을 쓰면서 그동안 수업을 다시 한번 돌아볼 수 있는 마음으로 수업 시간 경험 일부를 제공합니다.

교사는 반복하는 삶이다. 등교하여 수업 준비하고, 학생 상담하고, 수업하고 업무처리하고 하루를 마친다. 교사는 학교에서 최선을 다하고 잠시나마 여유를 가지고 재충전을 할 수 있는 시간이 휴일과 방학이다. 행복한 교사의 휴식과 여행, 힐링하는 생활은 자신의 가치를 찾으며, 교육의 질을 높여줍니다. 공부하는 교사, 배우는 교사는 삶의 방전과 충전을 반복합니다.

교사는 현재의 희생과 봉사로, 미래의 희망인 학생을 가르치는 숭고한 일을 한다. 홍익인간 실천하려는 마음뿐이다. 이 책의 내용을 읽고 수업 역량이 함양되어, 교사 전문성이 높아지고, 좋은 수업으로 행복한 학교생활 하시기 기대합니다.

평생 공부하는 평생학습 시대이다. 똑똑한 기술을 활용하는 에듀테크, 따뜻한 마음을 품은 인재를 키우는 교사. 수업의 방향과 방법을 살펴봅니다. 오늘도 배우고 가르치는 즐거움으로 수업하는 선생님께 행복한 학교생활을 소망합니다.

그동안 수업 경험과 사례를 모두 제공할 수는 없지만, 일부라도 학교생활에 도움이 되길 바랍니다. 학생들을 가르치는 유·초·중·고등학교의 선생님께서 좋은 수업으로 즐겁고 행복한 학교생활을 기대합니다.

나의 마음은 The Beatles "Let it Be~"

학교에서 학생과 힘께 즐겁게 지내고, 행복한 교사 되시길 기대하며, 이 글을 전합니다.

고맙습니다. 감사합니다. 사랑합니다.

2023. 12. 수봉산에서

강신진

교사의 삶

좁게 보면 교실이나,

넓게 보면 온 세상이라.

깊게 보면 바다 같은 사랑이요,

높게 보면 하늘과 같은 푸르름이다.

작게 보면 분필이요,

크게 보면 태산이라.

짧은 순간 비극이나,

길게 보면 희극이라.

그림 김종숙

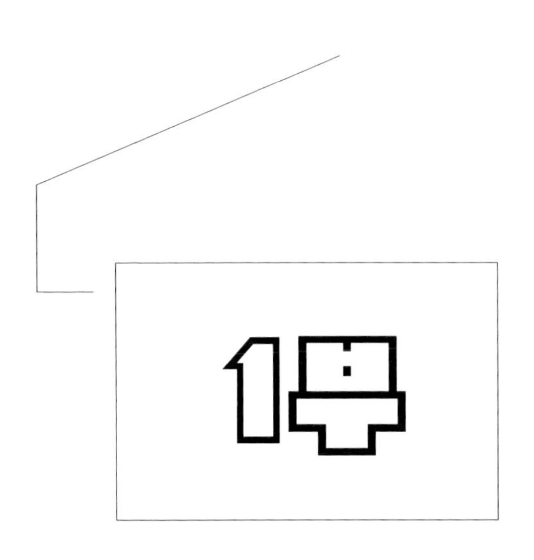
1부

신나는 학교생활 이야기

1부. 행복한 교육실천가의 길

4차 산업혁명 시대이다. OECD는 미래 사회가 요구하는 핵심 역량으로 창의력(Creativity), 의사소통(Communication), 비판적 사고(Critical Thinking), 그리고 협업(Collaboration)을 제시했다. 학교나 사회에서 성공하기 위해 필수적인 역량이다. 또한 서로 존중하고 배려하며 소통하는 능력도 더욱 중요해질 것이다.

창의성과 인성이 강조되는 시대이다. 서로 존중하고 배려하며 소통하는 따뜻한 마음을 가진 능력은 더욱 필요하다.

"세상은 아는 만큼 보인다"라고 한다.

교사 삶을 살아보니 선(善)의 모델이자 도덕적 모범이어야만 했다. 학생은 보고 관찰한 만큼 알 수 있다. 교사 학교생활은 외롭고, 괴롭고, 즐거움과 기쁨이 교차하는 삶이다. 수업 시간 메이커 활동을 해보니 학생을 제대로 이해할 수 있고, 교육의 가치를 깨닫게 된다. 행복한 교육실천가의 길을 알아본다.

아름답게

국가는 나라답게

교육제도는 교육답게

교육은 사람답게

학교는 아름답게

교사는 스승답게

부모는 학부모답게

학생은 잘 배워 나답게

모두

아름답게

교사는 만능이다

수업하는 일상을 지내다 보니 벌써 한 세대의 기간이 흘렀다. 초심으로 시작한 마음으로 이젠 뒷심을 발휘하고자 한다. 내가 경험한 일을 제공한다. 누군가에게 조금이나마 도움이 되고, 행복한 학교생활을 지속하길 기대한다.

공자는 논어에서

'군군신신 부부자자(君君臣臣 父父子子)'

라고, 말했다. 이는 "임금이 임금답고, 신하가 신하답고, 아버지가 아버지답고, 아들이 아들다워야 한다"라는 의미다. 이는 모든 국민이 자신의 역할을 제대로 해야 질서가 바로 선다는 의미다. 사람은 자기 일을 제대로 해야 사람답게 존중받는다는 의미로 해석한다. 특히 전문성을 갖춘 사람은 더욱 역할을 올바르게 해야 한다고 강조하고 싶다.

국가의 미래는 국민이고, 미래 국민은 학생들이다. 교사를 하고 싶어서 하는 교사는 많다. 교사이기 때문에 교사의 일을 열심히 하며 지내는 교사는 더욱 많다.

기술 교사는 기술자가 아니라 교육자다.

기술 교사는 세상을 이해하고 세상을 바라보는 눈을 가진 교사이다. 기술의 내용을 이해시키며 학생을 가르치는 교사다. 기술의 발달과 세상의 변화에 대한 정보를 제공한다. 기술을 이해하고자 만들기를 통하여 인재를 기르기 위해 실습을 수행하는 교육 실천가다.

모든 교과에서 시험을 치르거나 실습 평가를 하는 것은 아니다, 기술 교사는 이론 시험뿐만 아니라 실습 경험을 마땅히 제공해야 한다.

홍익인간(弘益人間)

우리나라 교육의 이념은 홍익인간이다. 인간을 널리 이롭게 한다는 이념이다. 실천하는 게 중요하다. 인간은 똑똑한 기술을 이용하여 따뜻한 세상을 만드는 것이다.

학교 기술 시간은 만드는 경험을 통하여 창의적인 능력과 의사소통하는 역량을 기르고 찾아주는 역할을 하는 시간이다. 기술 교사 경험으로 제언이다. 수업에선 다양한 메이커 경험이 제일이다. 무엇을 만들면서 성공과 실패를 경험하는 거다. 스스로 잘못을 깨닫는 기회를 주면 좋은 것이다.

학교 수업 시간은 개인의 능력을 함양하도록 경험의 기회를 많이 제공해야 한다. 그러나 현실에선 학생들 개개인의 능력향상보다, 학업 성적이 중요하다. 개인 성적은 진학과 미래 진로에 영향을 미치기 때문이다.

개인에게 중요한 것은 잘하는 분야, 좋아하는 분야를 적성을 찾는 것이다. 개개인의 능력향상을 위해, 적성에 맞고 흥미 있는 분야, 하고 싶은 분야를 찾는 것은 미래 교육이다.

기술 수업 시간에 무엇을 해야 할까?

기술 역량과 문제 해결 능력이 중요하다. 이를 위하여 기술 시간에는 어떤 문제를 해결하는 실습은 많이 해야 한다. 산출물도 평가하지만, 산출물 제작 과정의 지식과 기능 태도를 평가하는 거다. 관찰하고 살펴보는 일이 중요하다. 특히 메이커 과정에서 피드백할 내용을 찾아 제대로 가르쳐 주는 게 유능한 기술 교사다.

기술 시간은 실수와 실패의 경험을 제공하는 메이커 교육이고, 창의적인 역량을 기르는 교육이다. 학생이 원하는 걸 가르치는 게 아니라, 핵심역량이 함양되도록 경험을 제공하고 도와주는 시간이다.

학교 수업 시간에 게임 교수법을 도입하면 참여도와 흥미가 높다. 이런 수업은 연중 할 수 없다. 재미와 흥미만을 추구할 수 없는 이유는 청소년 시기엔 또박또박 차근차근하게 가르칠 게 너무나 많다. 교과 진도 나가고 수행평가를 해야 한다.

수업 시간에 다양한 실습 경험의 제공은 가치가 크다. 예를 들면 공구와 도구 사용법을 제대로 가르치고 사용법을 익혀야 한다. 이를 함부로 사용하다간 한순간에 다치게 된다. 다치면 안타깝고 속상하고 후회가 된다. 안전 의식은 하루아침에 달성되는 게 아니다. 내 마음의 의지와 꾸준한 습관이다.

이제는 덕후의 시대요, 지식 창조의 시대이다.

청소년에게 메이커 세상을 탐색하는 길잡이 역할을 하는 시간이다. 상상을 현실로 만드는 메이커 체험과 활동은, 창의력 향상과 문제해결 능력을 길러 주며, 지식을 지혜로 바꿔준다. 초·중·고등학교에서 메이커 분야 기본적인 내용을 이해하는 메이커 활동은 기본이다. 기술 시간이 창의력 향상과 문제해결 능력 함양을 위하는 주춧돌이다. 따라서 미래인재로 성장하는 데 중요한 시간이다. 창의력은 개인의 미래이고, 국가의 미래이다.

처음처럼

3월 대부분 첫 발령을 받고 나면 학교 교사로 생활한다.

교사 출발이다. 초심을 가지고 열정으로 시작한다. 시간이 흐르면 역량에 따라 가르침에 대한 열정이 크다. 일부는 어느덧 틀에 박힌 수법에 빠지게 된다. 이유는 다양하다. 어쩔 수 없는 환경이지만, 때가 되면 슬기롭게 대처하며 잘 지낸다.

교사는 창의적인 수업이 제일이다. 정해진 교육과정에 같은 교과서를 가지고 일정한 기간에 시험 성적을 처리해야 한다.

초등학교 학생들은 학부모의 간섭이 지나치다. 중학교 목표는 사춘기 학생들의 교육이요, 고등학교 교육 목표는 진학이다.

학생들이 모두 같은 내용을 가르친다. 초심에서 열심히, 열심에서 열정을 잊지 않는 게 중심 잡기다. 중심을 잡고 뒷심을 발휘한다.

초심을 가지고 열정을 유지하며 지내는 게 훌륭한 교사요, 능력 있는 교사다.

교사의 육심(六心)이다.

교사 여섯 가지 마음으로 새로 태어난다.

초심, 열심, 합심, 양심, 중심, 뒷심이다.

"일어나라, 일어나 어서 일어나"

"학교 가야지"

언제까지, 학교 가는 날마다 신날까?

처음엔 신나고 기대되고 희망에 부푼다. 초심으로 학교에 달려간다. 희망에 부푼 마음 하루하루가 새롭다. 열심히 하거나 안 하거나 시간은 잘도 흘러간다. 강물이 흐르듯, 세월도 나와 함께 지나간다. 두둥실 떠 있는 구름처럼 흘러간다.

수업과 업무에 지치니 1학기 방학을 맞이한다. 모두 외친다.

"방학엔 뭐 하지?"

개학하면 학교가 또한 새롭다. 새로운 시작이다.

중심 잡고 학교에 간다. 학교에서 하던 일 자꾸 반복한다.

지치고 힘들고, 괴로우면 2학기 방학이 다가온다. 소진되기 직전에 다시 방학이라 다행이다. 체력이 고갈됐다. 잠시 휴식의 시간이요, 힐링하는 시간이다.

"방학엔 뭐 하지?"

개학하면 신년, 신학기 시작이다. 또 한 바퀴 놀고 돌아 다시 시작이다. 반복하는 교사의 삶이 늘 이렇다. 수레바퀴는 연중 멈추지 않고 잘 굴러간다.

교사는 5심으로 출발한다.

초심을 가지고 열심히 산다. 누구나 다 양심을 가지고 열심히 산다. 나만 열심히 사는 게 아니라 모두 다 열심히 산다.

학교 일상이 늘 이렇지만, 주위 동료와 함께 합심하며 열심히 지낸다. 가끔은 간섭받지 않는 혼자 있고 싶을 때도 있다. 이럴 때 누가 나를 지지해 주거나 위로해 주면 좋으련만 찾아보자.

이럴 때가 진짜 성장할 때다.

이젠 중심을 잡고 열심히 한다.

"희망이 무엇이냐?"

이젠 희망보다는 원망과 실망이 다가온다.

"누굴 원망하랴?"

나 자신이다.

실망하지 않으리라.

희망을 다시 품어본다.

누구나 이 길도 마감해야 하는 시기가 다가온다.

새로운 길 제2의 인생이다.

무엇을 할까?

어떻게 할까?

사심 없는 5심을 다시 생각한다.

초심, 열심, 합심, 양심, 중심

이젠 뒷심을 발휘할 때인가 보다.

욕심은 버리고,

육심(六心. 초심, 열심, 합심, 양심, 중심, 뒷심)이다.

6가지 새로운 마음가짐이다.

방학을 기다리는 일상

담임교사는 2월부터 대부분 긴장하며 지낸다. 새 학년 인사이동으로 학교를 옮기게 된다. 내가 원해서 하는 학교라면 만족으로 시작한다. 늘 하기 싫은 학년 담임이나 수업을 담당하는 때도 많다. 이럴 땐 정말 마음을 단단히 먹어야 한다.

경력 많은 선배 교사와 대화가 필요한 시기다. 누군가는 전혀 필요 없는 시기일 수 있다. "혼자서도 잘해요"라고 시작하지만, 마음 한구석엔 걱정이 크다. 한때는 "나 때는 말이야"가 필요한 시기다. 2월 말 첫 만남이 이렇게 좋은 결과라면 좋겠지만, 인사이동 하는 교사의 만남이 아주 곤욕인 경우도 있다.

정해진 것 "어쩔 수 없다." 생각하고, 굳게 마음먹고 지낸다. 울며 겨자 먹기로 업무를 하는 경우도 많다. 이 일이 좋으면 다시 하겠지만, 기피 업무는 누군가는 해야 할 업무이다. 최근엔 주로 기간제 교사들의 몫이 되었다. 담임의 일상은 아침부터 바쁘다 바빠. 일찍 교실로 조례 들어가니 학생이 아직 오지 않았다. 걱정하며 전화한다. 메시지 보내고 안 받으니 1교시 후 전화해야지….

1교시 후 전화해서 받으면 다행인데, 안 받으니 2교시 수업하고 나면 그때 생각난다. 다시 전화하느라 신경이 곤두선다. 이뿐이면 다행이다. 학기 초 학교 교실은 늘 싸움이나 다툼이 일어난다. 특히 중학교 저학년 남학생은 심하다. 이래서 교실에 CCTV 설치하면 좋겠다. 언제, 누가, 어떻게, 무슨 일이 일어나는지 알 수 있다. 그렇지만 개인정보보호라고 현재는 유치원만 설치한다.

초·중·고등학교에 설치하면 안 되는지 궁금하다. 병원의 수술실에도 CCTV 설치한다고 하던데…. 일부는 그럴 것이다. 개인정보가 어쩌고저쩌고….

이런 일이 교실에서 벌어지고 있는 학교의 일상이다. 일상의 모든 것은 아니니 오해 없기를 바란다. 그러나 일반인은 교사의 일상을 잘 모른다. 교사의 삶을 정시에 퇴근하고, 휴일과 방학만 알고 지내는 경우가 많다.

담임교사는 학교에서 부모이다.

부모와 교사에겐 존중과 사랑이 제일이다. 매일 조례와 종례를 비롯하여 상담한다. 학교 일상을 관찰하며 특기사항을 학교생활기록부에 기록한다. 학생들은 올바르게 실천하는 학교생활을 제대로 잘하길 기대한다.

변화하는 교육과정

교직 경험하는 동안 교육과정이 여러 번 바뀌었고, 교과서 내용도 많이 변했다. 과거 기술 교과서에는 책꽂이 만들기, Basic 프로그램의 구조, 등이 있었는데, 요즘 교과서는 인공지능(AI)과 로봇 코딩이 등장했다. 인공지능(AI)이 바꿀 세상은 너무나 무궁무진하다. 교육 내용, 교육 방법, 평가 방법, 교육 대상도 빠르게 변화하고 있다.

교육의 목표는 과거나 지금이나 명확하다. 바로 개인이 가진 고유한 잠재력을 극대화하는 것이다. 교육은 인격 형성이요, 민주시민 양성임을 잊지 말아야 한다. 교육이념은 "홍익인간"이다.

과거나 현재나 변하지 않는 것은 수업 시간 45분(초등 40분, 중학교 45분, 고등학교 50분)이다. 어찌하리. 교사는 정해진 수업 시간에 최선을 다하는 삶이다. 교육에 관한 말이다. '19세기 교실에서 20세기 선생님이 21세기 아이들을 가르친다'라는 말이 있다. 이 말의 의미는 변화이다. 바뀌어야 한다. 19세기 학교 환경이 아직도 존재하고 있다. 교육환경을 제대로 꾸며주길 기대한다.

청소년 시기는 교과의 개념과 지식을 제대로 배우고 익히는 때이다. 자신에 맞는 적성과 진로를 찾는다면 훌륭한 교육이다. 세상은 너무나 빠르게 변화하고 있다. 사회도 변하는데, 학교 시스템만 변하지 않는다고 말한다. 학생도, 교과서도, 시험문제도 변하는데 바뀌지 않는 게 수능 입학시험 제도이다. 언제 개선될지 궁금하다.

인공지능이 우리 눈앞에 나타난 시대이다. 기술을 교육에 활용하면 교육 효과가 크다고 여기는 사람도 많이 있다. 인공지능 로봇도 등장하고 있다. “인공지능(AI)이나 메타버스(Metaverse)를 활용하는 교육의 방식도 도입해야 한다”라고 주장하는 학자도 많다.

CHAT GPT도 등장했다. 빠르게 변화하는 시대는 질문하는 능력이 중요해진다. CHAT GPT를 교육에 활용하여 학생들의 창의성과 전문성, 인성 역량을 함양해야 한다. 교육과 평가 방식도 변화의 필요성이 요구되고 있다. 오감 만족을 주는 교육 방법으로 변화를 기대한다. 기술은 사회를 발전시킨다. 미래 기술은 사람을 위한 기술로 변해야 인정받는다. 기술은 미래를 위하여 부가가치가 큰 교육이다.

무엇을 어떻게 가르쳐야 할까?

세르반테스는 "한 분야에서 전문가가 되기 위해서는 기술뿐만 아니라 연장도 훌륭해야 한다."라고 했다. 교사는 전문가다. 수업전문가요 학생 상담 전문가이다. 교사는 시대의 변화에 따라 앞장서는 전문가다. 수업 기술뿐만 아니라 에듀테크도 활용하는 게 변화하는 교사이다. 변해야 살아남는 게 교사다.

2022 교육과정에서는 '깊이 있는 학습'을 추구한다. 에듀테크 활용 수업도 이러한 깊이 있는 학습의 맥락에서 이루어져야 한다. 에듀테크가 자신의 흥미와 수준에 맞는 수업을 할 수 있도록 도와주는 보조교사가 되길 바란다.

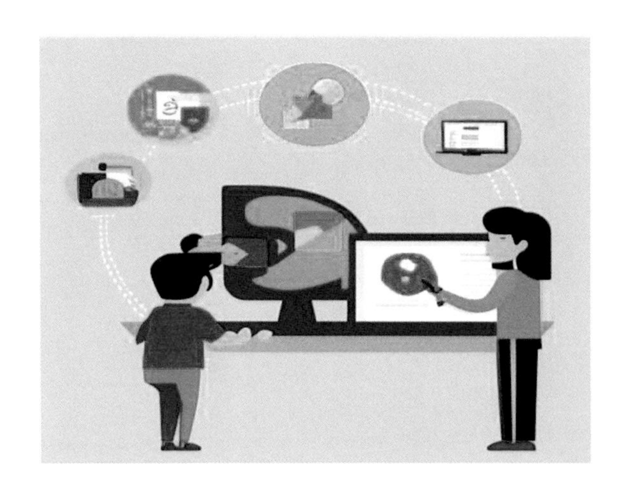

진로와 진학은 미래이다

초등학교에서는 진로를 탐색하고, 중학교에서 진로를 이해하고, 고등학교에서는 진로를 선택하는 과정이다. 그동안 경험으로 학생들의 중학교 성적은 미래의 직업과 무관하다. 그러나 중학교 시절 학업 성적이 우수하다는 것은 대학 진학과 연관성이 있다. 우리나라 대부분 학생과 교사, 학부모가 이렇게 생각한다.

현재의 진학 시스템이 중고등학교 때 성적이 우수한 것은 진학에 유리하다. 진학은 곧 미래 대학의 전공과 연계된다. 고등학교 학업 성적은 진학할 대학을 결정한다. 소질과 능력도 중요하지만 일단 입학 성적의 기준이 된다. 고등학교 1학년 때 잘하던 학생이 3년간 잘하는 경우가 많지만, 일부 학생은 오르거나 내리기를 반복한다. 모의고사 성적이 잘 나오면 수능점수도 잘 나올 수 있기를 기대하며 모두 열심히 한다. 지금은 학교 성적이 제일이다. 그러나 인생을 길게 생각하면 좋으련만….

학업 성적은 가정에서의 환경과 유전적인 요인도 중요하다. 공부 잘하는 기본은 자신감이 제일 중요하다.

학습 능력이 하루 이틀에 걸쳐 성장하는 게 아니다. 독서 능력, 다양한 경험, 이해력, 기억력, 관찰력과 사고력, 창의력도 마찬가지다. 이 모든 건 1만 시간의 법칙처럼 꾸준한 습관이요 지속적인 노력이 제일이다. 그래서 학교 수업 성실하게 잘하는 게 제일 나은 방법이다.

가정에서는 다양한 경험이 중요하다. 바쁘니까 먹고 살기 힘드니까 부모와 함께 경험하는 게 거의 없다면, 학교에서나마 성실하게 지내는 개인의 역량과 의지가 중요하다.

박물관 견학, 음악회, 스포츠 관람, 영화, 연극 관람 등 견학 활동은 최고의 교육이다. 진학과 진로를 위한 좋은 방법이다.

메이커 활동의 가치

창의적인 제품이 경쟁력인 시대이다. 메이커는 상상을 현실로 만들고, 편리한 생활로 바꾸고, 사회를 변화시키고, 세상을 변화시킨다. 혁신은 역사를 창조하는 일이다. 특히 메이커 활동이 출발점이다. 메이커 활동은 도전이다. 미래인재는 메이커(Maker) 활동 경험에 달려 있다. 청소년기에 직접 경험하거나 간접 경험하는 체험이 중요하다. 많은 경험을 통해 미래 원하는 꿈을 꾸고, 꿈을 이루고, 꿈 너머 꿈을 이루는 경험을 소망한다.

메이커 활동은 직접 체험이고, 독서는 간접 체험이다. 만들기는 직접 경험하는 일이다. 지식을 전달받는다고 해서 창의력과 호기심이 갑자기 생기지는 않는다. “경험이 인생의 스승이다.”임을 강조한다. 메이커 활동 경험은 현재와 미래에 가치 있는 능력이 되고, 보고 체험하는 견학과 직접 해보는 체험은 도전이고 기업가정신이다. 무엇인가 만들면서 실수도 하고 실패하고 성공의 경험을 하는 경험 중심 활동이다. 변화하는 세상에 대비하는 가장 좋은 방법은 세상의 지혜를 알아내는 능력이다. 메이커의 미래는 생애 주기별 미래 진로와 직업과도 매우 관련이 깊다.

특기와 흥미 분야를 배우고 익히는 일은 중요하다. 유아기부터 시작하여 청소년기에 호기심과 역량을 함양하도록 기회를 제공해야 한다. 학교 교육과정에서 문제해결 능력을 향상하는 메이커 활동이 미래 교육의 기본이다. 메이커 활동은 과정 중심의 체험학습이다. 새로운 것을 생각하는 창의적인 사고 과정과 적극적으로 참여하는 태도이다. 메이커 활동은 진로 탐색이며 직업 탐색의 과정을 즐기는 경험이다. 아이디어 구상부터 문제를 해결하는 제작의 전체적인 과정을 경험한다.

기술 실습하려고 수업을 준비하기 번거롭고 힘들다. 하지만 이런 노력이 학생들은 호기심과 즐거움으로 만들 수 있게 된다. 학생들은 교사가 준비하는 수고로움을 전혀 알지 못한다. 그래도 괜찮다. 잘 만드는 경험을 제대로 하면 최고의 교육이다.

일상에서 사용되는 도구의 종류가 많다. 도구에는 운동 기구, 요리 기구, 농기구, 공구와 도구가 있다. 각 분야에 맞는 이 도구를 사용하여 무엇인가 만든다. 가정의 가구 제작에도 도구를 이용하여 만든다. 취미를 즐기는 삶을 사는데도 도구를 활용한다. 인간은 도구를 활용하여 세상을 편리하게 변화시킨다. 현대는 도구와 기계를 활용하여 새로운 발명품을 대량으로 생산한다.

도구를 사용하는 우리의 손은 위대한 것이며, 인류의 미래이다. 도구는 기계로 발달했다. 증기기관과 더불어 산업혁명이 시작되었다. 전기와 컴퓨터 사용으로 세상은 더욱 획기적으로 발전했다. 최근에는 로봇과 인공지능 기술의 발달로 인간 생활은 더욱 편리해지고 있다. 기술의 발달은 더욱 빠르다.

도구를 사용하여 무엇인가 만드는 사람. 새로운 것을 창조하는 사람, 그는 메이커(Maker)이다. 도구를 사용하는 인간 '호모파베르(Homofaber)'는 창조자이고. '호모파베르(Homofaber)' 그는 위대한 메이커(Maker)이다.

인간은 지혜와 이성과 지식을 갖춘 호모사피엔스(Homo sapiens, 知識人)이고, 도구를 사용하여 생산하는 창조자 호모파베르(Homofaber, 工作人)이다. 호모파베르(Homo Faber)는 "도구의 인간"을 뜻하는 용어이다. 인간의 본질을 도구를 사용하고 제작할 줄 아는 점에서 파악하는 인간관으로 베르그송에 의해서 창출되었다.[1]

---

1) 위키백과 호모파베르
https://ko.wikipedia.org/wiki/호모파베르

독서는 기술이다

10대는 꿈을 꾸는 시기이다. 잘하는 분야, 좋아하는 분야를 찾아 꿈을 이루기 위해 노력하는 때이다. 10대에 책을 많이 읽고, 많은 경험을 하면 미래가 훤하게 보인다. 학교는 정해진 독서 시간이 있지만, 시간이 부족하다. 스스로 틈내어 읽는 게 중요하다. 독서의 습관은 평생이고 독서는 문화이고, 독서는 일상이 되어야 한다.

안중근 의사(義士)의 유명한 글이다.

일일부독서 구중생형극 (一日不讀書 口中生荊棘)

"하루라도 책을 읽지 않으면, 입에 가시가 돋는다"라는 말이다. 매일 책을 읽어야 좋은 대화를 할 수 있다는 의미다.

독서는 지식을 쌓고 지혜로운 사람이 되는 방법이다. 독서는 창조하는 일이다. 내 인생 보물이다. 책을 많이 읽은 자가 미래의 인재이다. 책은 글로 이루어진다. 글을 읽으면 깨닫게 되고 길이 훤하게 보인다. 그래서 나온 말이 "책 속에 길이 있다"라는 말이 생겼다. 책을 많이 읽는 게 미래로 가는 지름길이다. 책은 사라지지만 책에서 얻은 지식은 위대하다.

기술은 독서나 마찬가지이다. 내 삶에서 지식과 경험은 사라지지 않는다. 중·고등학교 기술은 맛보기 교육이다. 진짜 교육은 전문 과정을 익혀 직업인으로 성장하는 거다. 누구나 다 기술자 되는 게 아니다. 기술은 문화이고 삶이다. 기술은 한 나라의 국가 경쟁력이다.

글쓰기에 특별한 비법이 있듯이, 독서에도 특별한 방법은 많다. 글을 읽는 것은 나를 위해서 하는 행동이다. 책은 저자의 생각과 감정을 기록한 지혜다. "무엇을 표현하지" 궁리하고 쓴 게 책이다. 책은 저자가 독자에게 감동을 주는 보약이다.

"세 살 버릇 여든까지 간다."라는 속담이 있다. 어릴 때 습관의 중요성을 말한다. 책 읽는 습관을 익혀야 한다. 특히 유·초·중학교 시기에 제대로 된 책 읽는 습관을 강조한다.

책을 읽는 습관이 형성되면 이를 바탕으로 문해력이 발달한다.

문해력(文解力)은 글을 읽고 이해하는 능력이다. 한글을 단순히 읽고 쓰는 것뿐만 아니라 글을 정확하게 이해하는 문해력을 지녀야 한다. 문해력은 영어로 Literacy이다. 문해력은 문자로 된 기록을 읽고, 거기 담긴 정보를 이해하는 능력을 말한다. [2]

---

2) 네이버 사전
https://ko.dict.naver.com/#/entry/koko/5811d92a3aeb4f819aa33c2ddcba4c46

학교생활 사례 톡(Talk)

교직은 30~40여 년 가르치는 매우 긴 시간이다.

교사 혼자 고민하지 말자. "혼자 가면 빨리 가지만 함께하면 멀리 간다"라는 말이 있다. 수업 친구, 동 학년 교사, 전문적 학습공동체가 함께 협력하는 것이다. 함께하는 수업 문화를 위해 모이자. 같이 하면 가치가 크다. 함께하면 가르침과 배움의 효율성도 좋아진다. 교사도 학생도 행복한 학교를 만들려면 함께 하는 게 제일이다. 경험해 봐서 안다.

학생 교육은 기다림이요, 인내가 제일이다.

수업에서 행복해지는 방법이 찾자. 교사는 사랑과 열정이 답이다. 일상을 반복하면 교사도 지치고 힘들고, 누군가에게 기대고 싶은 곳이 있다. 교사는 늘 힘들지만, 때가 되면 휴식의 시간 방학이 온다. 이때 충분한 충전을 한다.

교사는 수업과 업무를 통해 가르치는 것 경험해 봐야 삶의 가치가 크다. 가르치는 보람과 만족이 기다린다. 경력 교사는 더욱 더 성장하며 성숙한 교사가 된다.

학교생활의 모든 것

학교는 교육과 보육을 함께 하는 장소이다. 학습하는 곳이며 놀이터가 되었다.

가정교육이 기본이 된 학생과 그렇지 못한 학생이 함께 생활하는 장소이다. 학교에선 단체 생활이라, 규칙과 질서를 준수하고, 협동하고 개인의 역량을 함양하는 장소이다.

그렇지만 지금 상황은 어떠한가?

기술 교사나 일반교사의 학교생활 모두 비슷비슷하다. 학생들은 가르치면 잘하는 학생도 있지만, 잘못하는 학생도 있게 마련이다. 미 성숙한 학생이니 당연한 현상이다. 학생에겐 격려와 지지가 자존감을 향상하게 한다. 칭찬하는 습관으로 "피그말리온 효과"를 바라자. 교사가 학생 개개인을 어떤 관점에서 칭찬하거나, 지지해 주느냐에 따라 학생의 학업성취도가 달라진다는 것이다. 못해도 지지하고 격려하려니 더욱 마음이 안타깝다. 칭찬과 격려는 신뢰도를 높이게 되고, 교육 효과를 기대한다.

사마광은 “경서(經書)를 가르치는 스승은 만나기 쉬우나, 사람을 인도하는 스승은 만나기 어렵다.”라고 했다. 학교 교사는 매일 학생을 만난다. 매일 학생을 사랑하는 마음이 같을 순 없다. 마음가짐이 중요하다. 학교는 교사와 학생이 서로 가르치고 배우는 아름다운 곳이다. 학생에게 믿음만큼 중요한 것은 없다.

“나중에 커서 잘하겠지!” 피그말리온 효과를 기대한다.

교사의 마음이 이렇다.

바다와 같은 넓은 마음뿐이다.

거룩하고 아름다운 사랑의 마음을 누가 알아줄까?

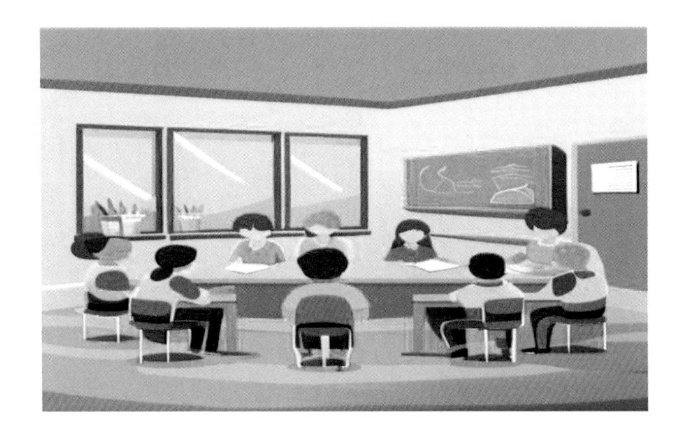

손의 활용은 인간의 역사이다

인간은 도구를 만들어 사용하였다.

생활에 필요한 도구를 창조하고 생산했다. 도구와 기계의 활용, 전기와 컴퓨터 사용, 로봇과 인공지능(AI)의 발달로 더욱 편리해지는 세상이다. 기술의 발달과 발명품으로 세상을 빠르게 변화시킨다. 창의적인 인간, 문제를 해결하는 인재의 중요성이 강조된다.

새로운 도구를 왜 만들까?

도구와 공구의 사용 방법은 알까?

기술의 발달 주인공은 누구일까?

손의 활용은 인간의 역사이고, 도구 사용은 위대한 발명이다. 여러 가지 도구를 사용하여 집, 자동차, 비행기도 만든다. 가구 제작에도 도구를 이용하여 만든다. 취미를 즐기는 삶을 사는데도 도구를 활용한다. 음식 도구와 재료를 가지고 음식을 만들고, 연필로 글을 써서 책을 만든다. 물감으로 멋지게 표현하여 멋진 작품을 완성한다. 누구는 악기를 만들어 연주한다. 인간은 많은 것을 만들어 필요한 곳에 사용한다.

도구를 사용하는 우리의 손은 위대한 것이다.

도구와 공구, 기계의 개발과 사용은 미래 교육이다. 도구를 사용하는 우리의 손은 인류의 미래이다. 이런 도구를 만들고 사용하는 것은 인간의 본성이다. 기술을 배우는 공부의 기본이다. 문제를 해결하는 것이다.

인간은 호모사피엔스(Homosapiens, 知識人)이고, 도구를 사용하여 생산하는 창조자 호모파베르(Homofaber, 工作人)이다. 도구를 사용하는 인간은, 지혜와 이성과 지식을 갖춘 생각하는 능력, 문제 해결하는 능력이 제일이다. 도구를 사용하여 무엇인가 만드는 사람. 새로운 것을 창조하는 사람, 그는 메이커(Maker)이다. 도구를 사용하는 인간 '호모파베르(Homofaber)'는 창조자이고. 호모파베르 그는 위대한 메이커(Maker)이다.

메이커 활동은 창의력이 향상된다. 직접 체험한다는 것은 실천이다. 자세하게 보고 도전하며 행동으로 옮기는 일이다. 배움에 왕도는 없다. 박물관, 미술관, 과학관에 견학한다. 그래서 보고 듣고 배우는 '백문 불여일견(百聞 不如一見)'인 것이다. 이제는 '백견 불여일행(百見 不如一行)'이다. 직접 만들어 보는 게 배우는 것이라는 의미다. 보고 듣고 만지고 관찰하고 해보는 게 메이커의 체험이다.

배우고 가르치는 삶이 고되다. 배우려니 시간이 없어 힘들고, 가르치려니 배우려고 하지 않는 학생이 많다. 한 명 한 명 맞춤형 교육을 하려니 더욱 힘들다. 의무교육에 의무적으로 배워야 하는데, 의무를 행하지 않는 학생 때문에 걱정이다. 학생이 우선 걱정되지만, 학교의 미래가 걱정이다. 대한민국의 미래가 걱정이다. 걱정해서 걱정이 없어지면 좋겠다. 여러 어려움에도 불구하고 그저 최선을 다하는 게 교사가 바로 서는 방법이다.

교실의 수업 환경이 바뀌고, 학생에겐 노트북이 지급되었다. 좋은 시설에서 교육받는 요즘 환경이다. 환경이 좋으니 모두 잘할 것이라 기대하는 건 무리다. 과거나 지금이나 학력의 차이는 늘 변함이 없는 것 같다.

과거엔 법과 규칙이 강력해서 존중하며 순종적인 학생이 많던 기억이 난다. 요즘과 비교하면 오십보백보인지도 모른다.

교사의 수업 전문성

교사의 전문성은 무엇일까?

지금의 교실 환경을 바라보자. 학생은 수업 시간에 똑같은 내용을, 같은 시간에, 같은 속도로 학습하고 있다. 정해진 수업 시간에 많은 학생이 이해하면 좋겠지만 그렇지 않다. 개인의 역량이 차이가 난다. 한마디로 실력(實力)과 학력(學力)의 양극화다. 이를 잘 해소하도록 노력하는 학습 방법이 중요하다. 학력 양극화의 해소 방법이 완전 학습이다. 이를 제대로 해결할 수 있는 것이 맞춤형 교육이다. 수준별 학습(學習)이다. 이를 위해 학생 수가 적은 교실 환경을 기대한다.

어떻게 해야 실력을 향상할 수 있을까?

과거엔 교과 지식을 가르치는 수업이 으뜸이라고 생각했다. 요즘엔 바뀌고 있다. 학생에 대한 마음과 가르친다는 것에 대한 사랑과 열정이다. 내 마음이 변하고 있다. 누구나 마음먹기에 따라 일상이 다르다. 사랑과 열정을 간직하는 내 마음이 우선이다.

교과에 대해 진지하게 고민하는 교사는 고민하는 만큼 교과 전문성이 향상된다. 동료와 함께 수업 고민을 하면 해답은 나온다. 성장하고자 열정 있는 선생님들이 많다. 모두가 함께 학생들을 위해 고민하고 있다. 학교 내 또는 학교 밖의 모임을 통해, 함께 성장한다는 마음으로 배우는 게 제일이다. "함께하면 멀리 간다."라는 말이 진리다.

2025년부터 인공지능(AI) 디지털 교과서가 도입될 예정이다. 디지털 기술을 활용하여 수업 혁신할 수 있도록 인공지능(AI)과 디지털 연수하느라 또한 바쁠 것 같다. 인공지능(AI) 디지털 교과서 활용으로 교육의 가치를 실현하는 계기가 되길 기대한다.

미 성숙한 어린 학생들이 시간이 지나면 저절로 성숙한 인간으로 성장하는 게 아니다. 제대로 알려주어도 잘 따르지 않는 게 청소년 시기다. 교사는 사랑과 관심을 가지고, 바른 길로 가르치고 있다. 인내하고 끝까지 최선을 다해 교육하는 게 교사 사명이요 의무이다. 그래서 교사는 더욱 힘들다. 그래도 따뜻한 마음으로 정성으로 가르치는 게 교사이다.

에듀테크와 기술 교사

기술 교사는 얼리어답터이다. 기술을 이해해야 세상에 대해 질문할 수 있다. 교육 현장에서 에듀테크를 제대로 활용하는 기술 교사이길 기대한다. 학교는 학생들에게 스마트기기를 보급하고, 활용하고 있다. 스마트기기를 활용할 수 있는 학습 환경이 조성되있다.

어떻게 활용하느냐는 오로지 교사의 역량이다.

인공지능 시대 교육의 변화는 기대와 우려가 동반된다. 에듀테크를 수업 시간에 적절하게 활용한다. 최근 CHAT GPT 등장 이후 생성형 인공지능 서비스가 발달하면서 인공지능 활용 수업에 대한 사회적 관심이 높아지고 있다.

수업은 기술이다.

인공지능 활용 수업, 온라인 수업, 블렌디드 수업, 코딩 수업, 로봇 활용 수업 등을 말한다. 에듀테크 적절한 활용으로 수업의 효율을 높여주길 기대한다.

에듀테크(EduTech)는 기술과 교육의 만남으로 학습효과를 높이는 것이라고 한다. Technology를 활용하여 수업에 적용하는 기술이다. 에듀테크를 활용하는 교육은 교육 공학 도구라고 하여 사용해 왔다. 오감을 자극하는 방법이다. 교육 정보 기술의 종류도 다양하며, 에듀테크의 교육환경이 변화하고 있다.

교육 정보 기술 활용 수업은 디지털 리터러시(디지털 소양)를 기반으로 발전되어야 한다. 예를 들면, 컴퓨터 또는 태블릿, 핸드폰을 활용하여 가상현실과 증강 현실, 메타버스를 활용한 수업도 증가하고 있다. 다양한 수업 자료를 선택하여 수업 시간 교육의 보조 수단으로 활용하고 있다. 수업 자료 영상을 직접 제작하는 교사도 많았다. CD로 보여주던 영상자료들은 이제 유튜브로 볼 수 있다. 인공지능 로봇, CHAT GPT 등장이 너무 걱정만 해서 될 일이 아니다.

디지털 교과서가 등장이 10여 년이 지났다. 디지털 교과서는 수업 관련 동영상, 360도 카메라, 증강 현실, 가상현실 등을 이용하는 교육 정보 기술 활용 수업이다.

2025년부터 디지털 교과서를 사용한다고 교육부에서 발표는 했다. 사교육 기관은 발 빠르게 움직이고 내용이 나날이

진보하고 있다. 정답을 찾는 학습 자체보다는 문제를 해결하는 교육 방식이 더 중요해졌다. 오늘날 교육과 디지털 기술의 접목은 인공지능 시대의 흐름이다.

과거엔 교사에게 제공하는 자료는 교과서 달랑 한 권. 나머지 내용은 교사가 알아서 준비하고 가르치라고 한다. 그럴 수밖에 없는 게 오늘날의 학교 상황이다. 디지털 전환 시대 교육의 방법도 점차 변화가 필요하다. 교육 정보 기술과 함께 수업을 변화시켜 보려는 열정 넘치는 교사들이 참 많다.

시대의 변화에 앞서가는 교사는 말한다.
"바꿔보자"
누군가는 말한다. "나서지 말라"고…. 학교는 즉시 변화하지 못한다. 교육과정대로 교육하기 때문이다. 교사들은 변화를 앞서가기도 하지만 두려워하기도 한다. 지금까지 잘 해왔는데 뭘 바꾸느냐고. 스스로 공부하여 변화하는 교사가 많아지길 바란다. 최신 기기나 장비는 시간이 지남에 따라 교육 정보 기술 기술들을 받아들이게 된다. 변화에 앞장서는 교사로부터 연수받고 터득하여 적용하는 데 시간이 오래 걸리지는 않는다. 선도 교사가 있어 가르쳐주면 즉시 배우게 된다.

세르반테스는 "한 분야에서 전문가가 되기 위해서는 기술뿐만 아니라 연장도 훌륭해야 한다."라고 했다. 교사는 전문가이다. 수업전문가요 학생 상담 전문가이다. 교사는 시대의 변화에 따라 변화에 앞장서고 수업 기술뿐만 아니라 교육 정보 기술도 활용하는 게 전문가 되는 지름길이다.

과거에 MS Office 프로그램의 파워포인트 처음 나왔을 때 전 교사 연수를 시행한 기억이 생각난다. 일부 시·도교육청은 컴퓨터 능력을 향상하고자 컴퓨터 자격증 취득자에게 승진 가산점도 부여했다. 핸드폰이 처음 나왔을 때 사용법을 익히듯이 배워야 삶을 편리하게 살 수 있는 것이다.

교사는 늘 신기술과 에듀테크를 활용할 줄 알아야 한다. 교육 정보 기술 제작하는 기술 교육을 강조하는 게 아니다. CHAT GPT도 기술을 어떻게 활용하느냐가 교육 정보 기술이다. 교육 현장에는 인공지능을 갖춘 AI 로봇 선생님이 등장할 것이다. 인공지능(AI) 로봇 선생님의 도움으로 개인별 맞춤형 교육 효과를 기대한다. 기본적인 학습 설계와 교육은 교사가 준비하고 가르치게 된다. 학습자가 필요에 따라서 자기 주도적으로 체험하고 문제 해결하는 학습 도구이다.

AI 형 에듀테크가 교육 현장에 주도적 역할을 하리라고 예견된다. 자기 주도적 학습을 유도해 문제 해결 능력을 기를 수 있다는 장점도 있다. 1:1 개인별 맞춤교육을 할 수도 있다. ChaTGPT 등장과 함께 교육의 변화는 당연하다.

디지털 시대는 생각하고 배우는 역량도 필요하다. 디지털 신기술 활용 능력이 우수한 교사도 있다. 교사는 평생 학습해야 한다.

오늘날을 한마디로 표현하면 디지털 인공지능 시대이다. 하이테크-하이터치(HighTech HighTouch) 시대다. 하이터치 하이테크(HighTech HighTouch) 교육은 학생 한 명 한 명이 맞춤형 교육을 가능하게 할 수 있기를 기대한다. 하이테크(HighTech)를 활용하여 하이터치(HighTouch) 학습을 통하여 학습 목표를 달성하는 것이다. 수업 시간에 교육 정보 기술 기술을 활용하여, 교과 역량을 키워주길 기대한다.

어떻게 활용할 수 있을까?

AI가 가르친다고 똑똑해질까?

미 성숙한 학생들을 누가 가르치는가?

PBL 수업

기술 수업하다 보면 다양한 학생이 많다.

설계를 잘하는 학생, 칼질을 잘하는 학생, 도면을 꼼꼼하게 그리는 학생, 창의적인 아이디어를 생각해 내는 학생, 발표를 잘하는 학생, 만화를 잘 그리는 학생 등 매우 다양하다.

만들기 과정에선 꼼꼼하게 했는데 미완성인 학생, 작동은 되나 엉성하게 만든 학생 등 다양하다. 이런 모든 것을 잘 살펴보고 관찰하는 게 기술 교사이다. 기술 수업에 적합한 PBL을 실습할 때 교실을 돌아다니면서 학생들을 잘 관찰한다. 살펴보고 관찰하면서 제대로 알려주거나 화내기도 하고 혼내기도 한다. 잘 가르쳐 주기도 하고, 스스로 하라고도 하면서 다양하게 수업한다.

운동선수는 연습을 게을리하지 않아야 훌륭한 선수이듯이, 기술 교사도 마찬가지이다. 기술 교사는 만들기 연습을 반드시 해야 유능한 기술 교사가 될 수 있다. 만들기를 체험해야 시범을 보이며 가르치게 된다. 교사가 직접 경험해봐야 좋은 교육이고 훌륭한 교사가 되는 것이다.

기술 수업은 적합한 PBL을 선택하여 활용한다.

PBL 수업에 교육 정보 기술 활용하는 방법을 구상한다. PBL은 문제 중심 수업(Problem-based learning)이다. PBL 문제 중심 수업은 학생들이 실제적인 삶의 문제(Problem)를 이해하고 제시된 문제 해결을 위해 개별학습이나 협동학습 등을 통하여 해결 방안을 모색하는 수업이다.

수업을 탐구학습 형태로 진행할 수 있다. 삶과 관련된 문제를 구조화해서 수업에 활용하는 방법이다. 문제를 찾고 문제를 해결하는 방법이다. 교사는 안내자, 촉진자로서 역할하고, 학생은 자기 주도적으로 해당 문제를 해결할 수 있도록 하는 것이다.

학생마다 디지털 기술 활용 능력이 다르다. 팀으로 조직하여 협동학습 하도록 도입한다. 참여할 수 있도록 기회를 동등하게 제공하고, 학습활동 자료는 온라인 학습플랫폼에 포트폴리오 제출하게 한다. 이를 누가 기록한다. 자료는 개인 맞춤형 평가에 활용하기 좋다. 나중에 학교생활기록부 작성에 근거자료로 참고한다.

교사는 학생들에게 안전하게 실습하도록 해야 한다. 메이커 교육은 경험하는 게 제일이다. 모든 걸 연습하면 기술 교사의 달인이 된다.

기술 수업은 설명과 시범을 보이는 일, 만들기 체험을 설명하는 게 매우 중요하다. 교육은 따뜻한 인간중심 교육이 본질이다. 미래 지향적인 교육 정보 기술, 로봇, 인공지능 기술이 활용된다 해도 미 성숙한 사람을 성장시키는 게 교육이다.

기술은 상상을 현실로 만들고, 편리한 생활로 바꾸고, 사회를 변화시키고, 세상을 변화시킨다. 똑똑하게 가르치려면, 서로 존중하고 배려하며 소통하는 능력은 더욱 중요해진다. 따뜻한 마음을 가진 기술 교사가 되어, 잘하지 못하는 학생, 잘하는 학생, 두루두루 살피면서 만들기 경험을 제공하길 기대한다.

스티브 잡스는 스마트폰 개발 발표 연설에서 “애플은 인문학과 기술의 교차로에 있다”라고 선언했다. 창의적인 제품을 만드는 비결은, 상상력과 기술의 혁신이기 때문이다. 기술은 사회를 발달시키며 세상을 편리하게 만든다. 기술에 의한 사회 변화는 계속된다. 기술은 생활이고 삶 자체이다. 기술을 배우고 제대로 익히는 것이 공부이다. 기술은 삶의 대부분을 차지한다. 사람을 이롭게 하는 아름다운 기술을 배우는 것이다.

학교에 기술실은 필수다

수행평가하려면 과제해결을 위한 재료가 필요하다. 많은 교사가 예산이 부족하여 제대로 된 실습을 하기 어렵다고 걱정이 많다. 물가도 오르고 예산은 고정되고 마땅히 할 실습이 없다며 종이로 된 형태 위주의 실습을 하는 학교도 있다.

기술 수업은 뭐니 뭐니 해도 기술실 예산이 중요하다.

기술실 관리는 주어진 예산으로 공구와 재료를 구매하고 폐기하는 일을 해야 한다. 예산이 부족하면 학교에서 추가로 예산을 신청하는 추경을 해서 확보하는 게 좋다. 예산은 언제나 부족하다. 예산이 부족하면 궁리한다. 어떤 재료를 활용하여 학습 목표를 달성할지 생각한다. 실습 예산을 확보하는 일은 중요하다. 충분한 실습 예산을 확보할 방법을 구상한다.

기술 교사로서 중요한 일의 하나이다. 주어진 공구나 재료를 사용하면 된다. 단 공구나 장비가 없으면 실습하기에 부족함이 많다. 미리미리 준비하는 게 상책이다. 충분한 예산을 확보해야 다양한 만들기 경험을 제공한다.

대부분 수업 시간에 실습하며 평가를 한다. 창의적인 수업과 수행평가를 시행한다. 학교의 주어진 예산에 맞게 적절하게 평가한다. 기술 교과는 이론 수업도 해야 하고, 수행평가를 해야 하므로 교사의 고민이 많다. 개인별 실습을 마치면 각자 보고서를 작성하고 발표시키고 평가하며, 개인별 작품을 점수로 보상한다.

학교에서는 추가 예산을 지원받는 방법은 학교장에게 요청이 우선이다. 부족하거나 열정이 있다면 외부 지방자치 단체나 각 기관에서 동아리나 활동 예산을 지원받는 방법이 있다. 과거 경험이다. 예산 부족으로 버려지는 종이 상자를 이용하여 창의적인 주택모형 집을 만들었다. 아이스크림 막대, 나무젓가락 등도 이용하고, 색칠도 했다. 구체적인 방법은 『교육실천가』 도서를 참고하기를 바란다.

이 외 다양한 과정 중심 수행 및 평가 방법에 대한 경험과 내용은 지면 관계상 3부에서 다룬다.

나는 점쟁이

난 오늘도 교실로 간다.
점을 보러
무슨 점을 보러 가느냐고 묻지 말아라.
난 매일 점 보는 인생이다.
이제 점쟁이가 다 되어간다.

무슨 점을 보느냐고 자꾸 묻지 말아라.
한 명 한 명 학생 점을 본다.

장점과 단점이 내 눈에 자꾸 들어온다.
뛰어난 점, 우수한 점, 안타까운 점, 속상한 점,
나는 배울 점을 깨닫는다.

지금도 매일 점을 본다.
지금 점쟁이가 다 되어간다.

나는

나의 스승들에게서
많은 것을 배웠다.

그리고
내가 벗 삼은 친구들에게서
더 많은 것을 배웠다.
그러나
내 제자들에게선
훨씬 더 많은 것을 배웠다.

- 탈무드 -

회상 그림 김종숙

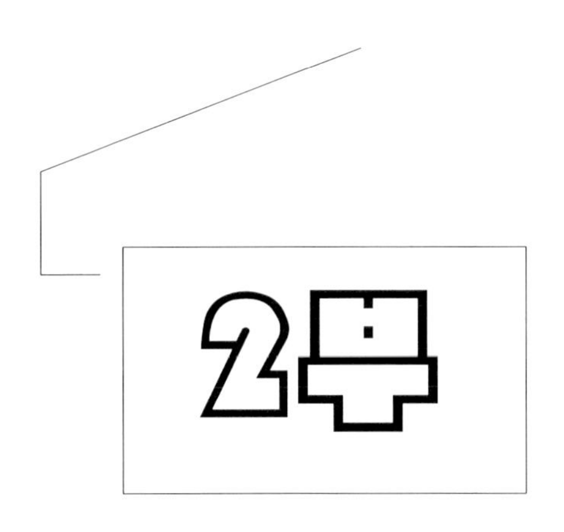
2부

즐겁고 행복한 수업 이야기

2부. 즐겁고 행복한 수업 이야기

교사는 수업이 일상이다. 수업 시간이 행복하면 더는 바랄 게 없는 삶이다. 학교는 수업 시간이 정해져 있고 수업이 일상이다. 요즘엔 교사가 수업하기가 너무나 힘들다는 이야기가 많이 들린다. 왜 그럴까? 이유는 여러 가지다. 특히 수업 참여하지 않는 학생들이 증가하기 때문이다.

초등학교 학생들은 집중하는 시간이 짧아지고 있다. 중학교 학생들은 자기들끼리 떠들며 이야기하는 시간이 증가한다. 고등학교는 아예 듣지 않고, 딴 공부하거나 잠을 잔다고 이야기한다. 모든 학교 학생이 이런 것은 아니기에 다행이지만 학생들이 걱정이다. 미래가 더욱 걱정된다.

교사는 말한다. 학생 잘되라고 가르치는데 듣지 않으니 안타깝고 속상하다. 그래서 걱정이다, 학생이 걱정이 아니라 나라의 미래가 걱정이다. 걱정해서 걱정이 없어지면 걱정이 없겠다. 2부는 학교에서 「즐겁고 행복한 수업 이야기」를 나눈다.

1. 수업은 일상이다.

교사는 교육 공무원이다. 교육 공무원 중 교사의 직급과 계급은 교사다. 수업하는 교사도 있고, 수업하지 않는 교사도 있다. 교과 교사는 평생 수업을 한다. 수업하지 않는 교사는 영양교사, 사서교사, 상담교사이다. 교사 신분이지만 특별한 업무로 인하여 수업은 하지 않는다.

현재 유·초·중·고 교사는 수업과 업무를 한다. 요즘엔 수업과 업무보다 생활지도가 더욱 힘들다. 수업이 힘들어 어려운 게 아니라, 학생들의 관리가 힘들다. 학생을 통제해야 하느냐고 묻는다. '그럼 어떻게 교육하지?'. '학습 내용을 설명할 때는 집중을 해야 하지 않겠는가?'

학생들의 수준 차이가 너무나 크다. 한명 한명 맞춤형 하고 싶다. 그렇지만 학생 수도 많고, 일부 학생은 선행학습을 하고 온다. 학생들의 상황은 과거보다 학습 태도에 문제가 많다. 학생들이 고분고분하지 않고 순종하지도 않는다. 참기 힘든 일이 발생한다. 교실 상황이 한마디로 미꾸라지나 뱀장어처럼 이리저리 돌아다닌다. 이런 학생을 데리고 수업하고 있다.

기술 과목을 가르치면서 느끼는 안타까움과 한계도 많다. 우리나라 현재 입시제도가 수능 위주의 학교이다 보니, 입시 위주의 환경에서 중요한 과목이 아니다. 중학교 학생들부터 배움의 가치를 알려주느라 힘들다. 기술 교사는 중심을 잡고 가르쳐야 한다.

교사는 교과를 가르치기 위해 수업을 준비한다. 날마다 하는 일이 너무 많아 시간이 부족하다. 고경력 교사도 마찬가지이다. 수업 내용을 공부하고, 평가에 대한 방법을 연구하며 가르친다. 의무 연수도 이수하고 문제를 해결하려고 주위 교사들에게 질문하며 터득한다. 학생의 생활교육을 위한 심리와 상담 공부도 한다. 그동안 경험으로 보면 교사들은 공부하기를 좋아했던 사람이 많다.

하루하루 시간이 빨리 흐른다. 경력이 쌓이면 수레바퀴 같은 학교생활에 잘 적응하며 여유가 생긴다. 커피도 마시고 휴식도 취한다. 늘 적극적인 교사, 긍정적인 교사, 학생 수업에 최선을 다하는 교사가 된다. 모두 학생들이 이해하길 바라며 열심히 수업한다.

수업은 생명이다

유·초·중·고등학교 교사는 수업이 필수이다.

수업은 누구나 다 잘한다. 수업 잘한다고 해봐야 거기서 거기다. 오십보백보(五十步百步)요, 도긴개긴이다. 한마디로 모두 다 비슷비슷하다.

교사는 수업이 생명이고 자신의 자랑거리다. 일상에서 수업하지만, 수업 시간에 과연 학생들이 수업을 제대로 다 들었을까 궁금하다. 그땐 모두 다 잘 듣고 이해할 것으로 생각했지만, 시험을 보면 다 알게 된다. 듣는 시늉만 하고, 앉아 있었다는 것을….

학생이 수업 시간에 적극적으로 참여한다면 행복한 수업 시간이다. 참여하는 수업은 학생에게 활동할 거리를 제공하는 것이다. 교사는 수업에서 조력자 역할을 한다. 행복한 수업을 디자인하고 진행하려고 늘 준비한다. 우리는 말한다. "수업은 생명이다."를 실감하는 수업을 하고 싶다.

수업은 학생과의 관계가 중요하다.

좋은 관계가 이루어지기까지 교사의 열정과 사랑보다 좋은 게 없다. 3월 초 교사는 철저한 학급 규칙이나 수업 규칙을 강조하며 준수하는 데 신경 써야 한다. 관계가 부드럽고 원만하면 수업이 적극적이고 긍정적인 분위기가 형성된다. 단호하고 부드럽게, 엄격하고 친절하게, 마치 이중인격자처럼 대해야 한다고 주장한다. “말이 되는 소리인가?” 할 것이다. 이것을 행하기가 쉽지 않다.

어떤 시기엔 그만두고 싶다. 이 일 언제까지 해야 할지 괴롭다. 고통과 화를 참으며 다짐한다. 인내에도 한계가 오고 있다. 자존심 상하고 자괴감이 들 때가 한두 번이 아니다. 내 마음이 괴롭고 고통의 연속이다. 이제는 말할 수 있다. 사랑이 부족한 교사였고, 교만한 교사였고, 화 잘 내는 교사였다. 지금도 수업 시간 변함이 거의 없다.

나도 글 쓰면서 많은 반성과 성찰을 하며 지내고 있다. 좀 더 인정하고, 지지하고 격려하지 못했을까. 지금도 매우 부족함을 느낀다. 이 글에 공감한다면 당신은 이미 훌륭한 교사이다.

일상은 기록이다

교사에게 있어서 수업은 중요하고 교사의 보람은 수업 성공에서 찾아야 한다.

수업은 하면 할수록 경험이 생긴다. 수업은 반복이요, 융통성이요, 아이디어 싸움이다. 교사는 진도를 생각하고 학생은 시험 성적을 생각한다. 수업하면서 번뜩이는 수업 방법도 생각나고 요령도 생기고, 하지 말아야 할 것을 터득한다. 해야 할 것을 제대로 하기 위해 집중도 한다.

수업 시간에 수업만 하는 게 아니다.

학생들에게 교과 지식을 가르쳐야 한다. 수업 기술은 교사가 갖추어야 할 기본이다. 단 교과 지식도 중요하지만, 삶에서의 규칙과 질서, 예절도 중요하다. 수업 중 학생의 태도가 좋지 않으면 생활지도 해야 한다. 수업 시간 잔소리를 하면 진도 걱정도 되기에 잔소리를 안 하게 된다. 그러면 수업 시간이 질서가 잡히지 않는다. 교사는 그야말로 진퇴양난이다. 이게 바로 교직의 전문성이고 자존심이다. 그래서 "경험이 인생의 스승이다."라고 한다.

수업 시간에 토의·토론학습, 모둠학습, 발표학습, 협력학습 준비하고 관찰하고 기록하느라 힘들다. 수업 방법을 서서히 바꾸어야 한다. 수업의 목적은 학습 목표 달성이요 학생들의 역량 함양이다. 수업은 평가와 직결된다. 평가 없는 수업은 재미있는, 신나는 수업이 된다.

평가는 수업의 목적이다. 교사는 교단에서 살아남아 교육의 주체가 되는 길을 찾아야 한다.

공부는 왜 하는가?

교과 가르치면서 정해진 내용 진도 나가고 시험 보고 학생 평가하고, 학교생활기록부에 기록해야 한다.

과거엔 1년에 한 번 기록했는데, 요즘엔 일 년에 학기별로 두 번이나 기록한다. 그러하니 교사가 너무나도 바쁘다.

자율활동, 봉사활동을 창의적 체험 활동, 스포츠 활동 모두 입력해야 한다. 학생동아리 활동도 기록해야 한다.

교사의 일상은 바쁘다 바빠.

수업의 정석 이야기

어떻게 하면 수업을 잘할 수 있을까?

좋은 수업이란 무엇일까?

수업의 정석은 무엇일까?

수업은 보통 도입, 전개, 정리 및 평가로 한다.

교사는 다 알고 있고 모두 실천하는 삶이다. 다만 시간이 부족하여 수업을 마치면 형성평가를 제대로 하지 못한다. 이유는 시간의 부족이다. 형성평가 제대로 잘하면 완전 학습이 될 가능성이 크다. 학생들이 제대로 듣고 잘 따라주면 시간이 충분한데, 일반 교실에선 하나하나 질문에 대답하고 차근차근 가르치다 보면 시간이 늘 부족해서 진도 나가기에 급급하다. 또한 학력의 차이가 커서 설명하다 보면 시간이 부족하다.

학생들은 예습이나 복습을 제대로 할까?

형성평가는 완전 학습의 지름길이다. 형성평가 방법은 다양하다. 이론과 만들기 수업을 하면서 형성평가를 하기가 쉽지 않다.

기술 수업은 체험이다.

기술 수업의 정석은 무엇일까?

기술 수업의 대부분은 PBL 수업이다. 실습을 디자인하고 산출물 작품을 완성하는 과정이다. 아이디어 구상부터 완성 작품까지 전체 과정을 설명하고 안내하려면 단계별 수입 방법을 적용한다. 기술 수업의 정석은 전체적인 설명으로 시작하여, 만들기 시범을 보여주고 체험 과정 마무리하여 평가하는 방법이다.

수업은 일단 설명이다.

학생은 기술에 대한 전체적인 과정을 이해하고 설명을 통해 터득한다. 다음으로 시범을 보여주는 것이다. 시범을 보일 때 과제, 기술, 과정 및 행동을 단계별로 구분하여 자세하게 안내한다. 재료를 준비하고 수행 과정 정확한 방법을 시범으로 알린다. 실습하면서 교실을 순회하고 관찰한다. 개인별 맞춤형으로 실습을 도와야 한다.

시범은 특별한 기술과 능력이 요구된다. 실습의 경우 시범을 시행하는 과정에서 실수 없이 숙련도가 요구된다. 그래서 기술 교사는 미리 실습할 제품이나 작품을 미리 만들어 봐야 한다. 구체적인 설명서를 미리 배부하여 시범 과정의 이해를 돕고 만드는 과정에 도움이 되도록 한다.

기술 수업의 정석은 설명과 시범, 체험, 평가이다.

실습은 만들기 경험이요, 시행착오가 있다. 실습 작품은 스스로 만드는 과정을 발표하거나 보고서를 작성한다. 평가는 완성한 작품이 점수가 된다.

학교에서 기술 수행평가는 만들기 실습이다. 기술 실습은 기술자를 양성하는 실습이 아니다. 기술 지식의 이해와 경험이다. 그렇지만 실습하면 평가 점수를 성적에 반영한다. 기술 실습의 가치는 창의력과 사고력, 만들기 능력, 문제 해결 능력 등이 강조된다. 이 때문에 실천적인 태도와 기술적인 활동의 체험 즉 실험.실습 활동이 매우 중요시된다.

기술 수업 시간에 이론 시험 없이 한 학기 수행평가하려면 수업 디자인을 잘해야 한다. 평가 영역 및 비율, 무엇을 평가할 것인지 고민도 많다.

학교에 주어진 예산도 걱정이다. 협동 학습하지만, 팀별로 협동 잘 될까, 걱정도 한다. 여학생과 남학생으로 상황이 다르다. 함께해야 하는데 평가에 예민하게 반응한다.

경험을 안내한다. 발표는 희망자만 하고, 짝 평가, 동료평가도 한다. 실습 마치면 개인보고서 작성은 반드시 하여 개인평가를 한다.

만들기 수업은 교사의 수업 디자인과 경험이 필요하다. 또한 체험 중심의 만들기 수업에선 안전교육이 중요하다. 수업시간 안전하게 실습하는 게 중요하다. 공구나 도구의 안전 사용 방법과 안전한 습관을 강조해야 할 사항이다.

안전이 제일이다.

기술과 공개수업

기술 수업은 이론보다는 실습이 대세이다. 특별하게 하는 이론 수업도 있다. 다만 기술은 실습 위주 경향이 많기에 공개수업 시간에는 학생들이 잘 만들려고 노력한다. 공개수업은 같은 학년 교사들 간에 이루어질 때 가장 커다란 효과가 이루어지리라 본다. 수업 참여나 수업 태도 등을 학년에서 공유하며 공감대가 형성된다.

기술 수업도 공개 수업한다.

수업 나눔은 잘 가르치는 것을 보여주는 것이 아니다. 학생이 어떻게 배우느냐를 보는 거다. 교사의 전문성은 수업을 공개하는 거다. 교사의 수업 전문성은 자신감 있는 공개수업에 있다. 공개수업 일상화에 도전해 보자. 수업 문턱을 낮추고, 수업 초청해서 평생 행복한 수업을 하기 기대한다.

대부분 교사는 본인의 수업을 잘한다. 자기 수업의 부족함을 느끼면 스스로 혁신하는 마음이 생긴다. 연구하고 노력하게 된다. 수업이 잘 이루어지려면 교사와 학생과의 경계선이 잘 세워져야 한다. 무엇보다 관계 세우기를 바탕으로 질서 세우기가 이루어져야 한다는 것이다. 학생과의 관계는 중요하다. 학생들과 함께 약속 형태로 수업 규칙 및 생활 규칙을 만들어 함께 지키도록 하는 시간이 수업 시간이다.

수업은 상호작용이다. 함께 참여하는 수업이 제일이다. 교사와 학생은 수업 시간에 대화하며 사고력을 키우고, 학습 목표를 달성하는 것이다. 수업을 마치면 역지사지를 느낀다.

수업은 준비하는 게 수업의 완성노이다. 다만 학생의 의지가 중요하다. 남에게 보이는 SHOW 이제 그만하자. 수업 참관은 수업을 배우는 좋은 기회이다. 신경이 곤두선다고나 할까. 참관 후의 상호정보 교류할 이야깃거리를 찾아야 하기 때문이다. 신경 안 쓰고 수업 시간 지나가기를 바라며 참관하면 한 시간 지루하기도 하다.

수업 참관의 분위기는 학교 교원 구성원의 성별, 경력별 상황이 다르다. 공개수업은 반면교사요 역지사지를 체험한다.

모든 교과를 참관하고, 신규교사는 의무 참여하게 하고, 저경력 교사는 참관 권장, 전 교사에게 희망 참관을 홍보한다. 학교 분위기에 따라 다르지만, 자발적인 수업 참관은 배울 게 많다.

참관 교사의 입장이다.

수업 시간에 학생이 배움 활동을 잘하는지 관찰한다. 또한 학습 목표를 알고 배우고 있는지, 학생 수준에 맞는 개별학습이 잘 이루어지고 있는지 살펴본다. 교사와 학생 모두의 상태를 살핀다. 교사와 학생의 상호작용이 잘 이루어지는지, 학생의 수준과 교과의 내용은 적절한지, 제시하는 학습자료는 무엇인지, 학생 누가 활동에 참여하고 안 하는지, 형성평가는 자연스럽게 이루어지며 평가 결과를 학습활동에 피드백하는지 등을 살펴본다. 솔직하게 말하면 한 시간 동안 수업 참관하면 관찰하고 기록하고 질문거리 작성하느라 수고가 많다.

수업 참관은 교수 능력 파악과 수업 준비, 수업 실행과 문제행동 예방 및 지도, 생활 습관 및 인성교육 내용도 살펴본다. 수업 관찰은 교사의 교수활동보다는 학생의 학습활동에 초점을 맞추어, 학생 한명 한명에 대해 교사가 어떻게 대응하고 있으며, 각 학생을 배려하고 있는지 관찰한다.

교사가 유연하게 대응하고 있는지, 학생들이 안심하고 자기 생각을 말할 수 있는 교실 분위기가 조성되고 있는지 관찰한다. 학급당 학생 수가 수업을 하는 데 영향을 준다. 학생 수가 적으면 아무래도 맞춤형 교육이 가능하다.

교사는 무엇을 잘해야 하나?

수업, 학생들의 상담, 학교 업무, 인간관계 등 모두 잘해야 하는 게 의무요, 기본이요, 이게 전문성이다.

학생의 상담, 교육 내용의 가르침, 학생과 대화, 보살피는 것, 업무처리, 개인의 생활 등 하느라 늘 시간이 부족하다. 교사는 교과 내용을 가르치는 수업의 달인이다. 누구보다도 자신감이 넘친다. 학생들 유형이 더욱 다양해지고, 능력도 학업 수준도 각각 다르다. 어디를 기준으로 할지 고민하며, 중심을 잡고 가르치고 있다. 그래서 요즘엔 교사가 맞춤형 수업하기 힘들다고 한다. 과거를 생각하는 때도 생기며, 미래를 걱정하는 마음이 더 크다.

교사는 학생을 사랑하고 존중하며, 학생은 교사를 존경하길 기대한다.

학습 피라미드

학습 피라미드는 미국 MIT 대학 사회심리학자 레윈(Lewin)이 세운 응용행동과학연구소인 미국 행동과학연구소(NTL : the National Training Laboratories)에서 발표한 것이다.[3]

다양한 방법으로 공부한 다음에 24시간 후에 남아있는 비율을 나타냈다.

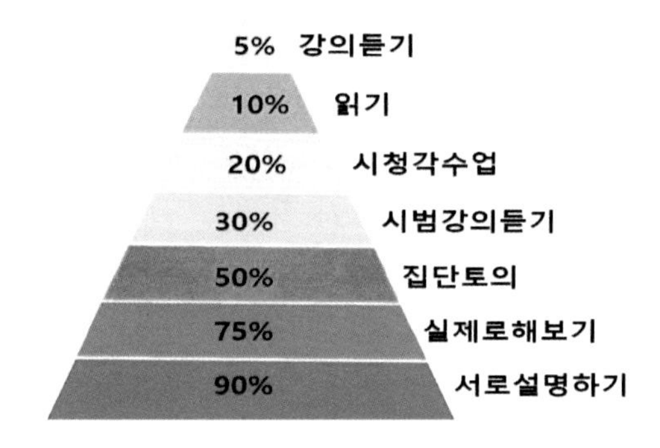

학습 효율성이 좋은 수업 방법은 무엇일까?

수업 시간에 교사가 학생들을 가르치면 24시간 후에도 90%가 남는다. 하지만 그것을 듣고 있는 학생들은 24시간 후에 5%밖에 남지 않는다.

---

3) 한국교육신문
https://www.hangyo.com/news/article.html?no=83823

그러면 2일~3일, 1주일 후에는 어떻게 될까? 학습 효율성은 당연하게 차이가 난다. 서로 설명하기는 90% 기억된다는 것이다.

교사가 설명 방식으로 수업하면 누가 공부할까?

학생은 오래 기억할까?

늘 시간 부족한 게 우리나라 현실이다. 하지만 집단 토론은 50% 실제 해보는 것은 75%, 다른 사람을 서로 설명하기는 90%의 효율을 갖는단다. 따라서 친구에게 설명하는 수업 시간을 디자인하는 것이 교사의 전문성을 높이고, 학생들의 학습 효율성을 높이는 지름길이다.

학습 방법에 따른 학습 효과가 높은 순으로 나열하면,

서로 설명하기 > 실제 해보기 > 집단 토의 > 시범 강의 보기 > 시청각 수업 듣기 > 읽기 > 강의 듣기, 순이다. 가장 효과가 높은 것은 서로 설명하기이다. 학생들은 수업 시간에 서로 가르치고 설명하기를 권장한다.

학부모 대상 공개수업의 모든 것

교사는 매년 학부모에게 공개수업 한다. 자율 장학은 교내 교사끼리 공개수업 한다. 학부모 공개수업은 교원 평가이다.

공개수업은 더욱더 하기 싫다. 교사 수업은 혼자 하는 게 편하다. 누가 간섭하면 괜히 힘들고 신경 쓰인다. 오늘따라 수업하기 싫다. 몸도 피곤하고 해야 할 업무도 많고, 학생들은 말을 듣지 않는다. 이게 우리나라 학교 수업이다.

학교는 학부모 공개수업을 한다.

학부모 공개수업의 목적이다. 학부모에게 수업을 공개하여 공교육 교실 수업의 특수성을 이해시키는 것이다. 학부모로서 가정에서의 학습 지원 역할을 파악하게 하는 것이다. 그럴 뿐만 아니라 가정에서 학생을 지원해 줄 수 있는 여건을 마련하도록 하는 것이다. 하지만 아쉽게도 학교 와서 그냥 수업 참관하고 "잘하네", "못하네", "과거보다 시설이 좋아졌네", "학생 수가 많이 줄었네," 하면서 단순하게 보고 끝이다.

학부모 공개수업 무슨 효과가 있겠는가?

교사 평가 문제가 많다.

"교원 평가 폐지가 답이다." 외친다.

교사는 학생의 일거수일투족을 알면 가르침에 유익하다. 요즘 그런 사실을 학생 본인의 개인정보라고 하여 제대로 알지 못한다. 학생의 학습 습관은 어떠하며, 가정에서의 교육 환경과 교육철학을 학부모와 공유하면서 교육에 효과를 기대한다. 학생과 교사가 함께 성장하고 교육이 발전하는 것이 학부모 공개수업이다. 앞으로 그렇게 되기를 기대한다.

학교는 학생의 교육과 보육 복지를 위해 노력하고 있다. 교사의 수업에 대한 열정과 자질을 인정해 주어야 한다. 학부모는 학교 정책이나 수업과 관련하여 선생님들께 지지와 격려를 제공하길 기대한다. 단지 와서 공개수업 한번 보고 수업 참관론 제출하면 그게 끝인데 학부모 공개수업 왜 하는지 다시 한번 생각해 봐야 한다.

학부모가 참관하면서 수업을 제대로 분석하고, 수업 내용과 교육과정을 제대로 아는지도 묻고 싶다. 가끔 수업 분석을 제대로 하시는 분도 있다. 하지만 대부분 수업 참관 한 번으로 교사를 평가하기도 한다. 학부모 수업 참관하는 방법 교육이 필요하다.

매년 학부모 공개수업이 교내에서 실시한다.

학부모는 한 해에 한 두 번 학교에 와서 교사의 수업 방법과 학생들의 참여도를 관찰한다. 학부모는 수업 방법과 내용보다는 자녀가 다른 학생과의 관계에 관심이 많다. 자녀 친구와 함께 협동을 잘하는지 자신감 있게 참여를 잘하는지 살핀다. 학부모 공개수업 참관 한번 보고 교사를 평가한다. 학교에 한 번도 와서 보지도 않고 학교 교사 평가를 하는 오늘날의 교원 평가는 문제가 너무나도 많다.

누구를 위한 평가인가?

매년 실시되는 교원 평가 항목 내용은 수업 방법과 교과 내용의 가르침에 대한 평가이다. 전문성 신장을 목표로 도입했다. 요즘 교원 평가가 모욕적인 평가, 인기 평가로 인격 침해를 당하기도 한다. 학기 중에 최선을 다해 열심히 했음에도 불구하고 평가 점수가 낮게 나오면 사기가 떨어진다. 크게 무엇이 잘못되었는지 반성도 하지만 자괴감을 느끼고 속상하다. 열정을 식게 만든다. 평가의 효과성도 거의 없다. 제도적으로 실명으로 평가하는 방법으로 개선하거나 폐지해야 한다.

다시 주장한다. 교사 평가 문제가 많다. “교원 평가 폐지가 답이다.” 외친다.

요즈음에는 학원에서 선행학습하는 학생이 너무 많다.

학원에서 미리 배운 학생과 전혀 모르는 학생이 한 교실에 함께 있다. 학교에서 동기유발과 학습 진도에 수준 차이가 너무 벌어지고 있다. 학생들의 학습 결손 격차를 해소하고자 노력하지만 쉽지 않다. 수업 전문성이 뛰어난 대부분 교사가 열정과 사랑으로 교육한다.

지금은 학생 수가 많아서 개인별 맞춤형으로 교육하기에 역부족이다. 의무교육이라 더욱 힘들다.

교사가 수업전문가로 인정받기란 쉽지 않다. 학부모와 학생들의 다양한 욕구가 다양해서 맞춤형 교육 정말 힘들다. 요즘에는 수업이 힘든 게 아니고 배우는 학생들의 생활지도가 교사를 더욱 힘들게 한다. 과거 지금이나 상급학교 입학시험은 중요하기 때문이다. 교사는 학교에서 행복한 삶을 살아야 한다. 교사의 사명이다.

과거 공부하던 모습과 달라진 것이 무엇인가?

바뀌지 않은 것은 무엇인가?

교사 수업 공개의 허와 실

교사는 수업이 생명이라고 한다.

교사의 필수 직무 중 중요한 하나는 본인의 교과 수업 공개이다. 소속 학교 동료 교사에게 상시 수업을 공개하며, 교외 공개수업도 실시한다.

매년 교내 수업과 교외 수업을 공개하고 있다. 교내수업 공개의 경우에는 종일 하거나 연속 수업 시간대에 실시한다. 희망하는 교사는 수업에 참관하고 수업 협의회를 실시한다. 수업 참관은 주로 자발성을 위주로 하며 저 경력 교사, 신규교사가 참관하길 바라지만 고경력 교사와 적극적인 교사도 참관하는 것을 많이 경험했다. 수업을 자세히 보고, 관찰하고, 듣고 나누는 게 공개수업 참관의 장점이다.

어쩌다 하는 공개수업은 늘 힘들다.

매일 하는 수업이지만 다른 선생님과 함께 수업 공개에 대한 부담감이 늘 있다. 교사는 상호 간 수업을 공개하고 수업 개선을 할 수 있는 다양한 방법을 끊임없이 연구하느라 또한 바쁘다.

의사도 수술 장면을 서로 공개하며 수술 후 함께 협의회를 통해 서로 배운다. 모르는 사항을 알게 되고 경험을 공유한다. 의사 전문성은 이럴 때 향상된다. 교사도 함께 모여 수업 후의 나눔이 매우 중요하다.

학교에서는 공개수업을 많이 한다. 교육의 질 향상을 목적으로 하는 것이다.

공개수업의 이유는

첫째, 교과 역량을 함양과 학생 능력을 함양하기 위함이다.

둘째, 학습 목표 달성이다.

셋째, 학생의 학습 태도 향상이다.

서로 수업을 관찰할 기회를 적극적으로 나누어 수업 후 교육철학과 수업 나눔을 하면 서로 도움이 될 수 있다. 공개수업 후 참관 교사에게는 상호 간 질문을 한다.

수업을 통해 내가 배운 것, 수업을 보면서 궁금한 것 질문하거나 참관록 작성을 요구하며 수업 내용을 서로 나누며 지낸다. 교사의 열정과 학생에 대한 사랑을 느낀다. 수업을 공개한 교사는 준비와 노고에 인정해 주고 칭찬한다. 한 권의 책, 한 편의 영화가 인생을 바꾸듯이 한 시간의 수업 공개는, 나를 바꾸며 교육을 바꾸는 일이다.

학생들의 배움 과정에 대한 나눔을 한다. 수업 나눔을 통해 배운 것, 도전해 보고 싶은 도전 과제, 수업을 보면서 궁금한 것 등을 상호 간 정보를 공유한다. 그러나 시간이 없다는 이유로 너무 빨리 끝나는 경우도 발생한다. 최근에는 업무에 너무 바쁘기에 참관하는 분이 적다.

또한 장시간 길게 대화할 수 있는 수업 나눔 시간이 짧아지고 있다. 요즈음에는 주로 저 경력 교사, 신규 멘토 교사에게는 필수로 참관하도록 하여 수업 공개 참관 기회를 제공한다.

교사는 힘들고 지칠 때가 많다. 서서 말하고 체력적으로 정신적으로 고되다. 남들은 잘 모른다. 이 사실을. 그러나 행복할 때도 많이 있다. 대한민국의 교사로서, 행복한 교사로 살아가기를 기대한다.

공개수업은 시간과 노력이다. 공개수업 전에는 교실 환경도 점검하는 게 좋다. 원만한 수업을 위해 아래와 같이 몇 가지 약속을 정하여 3월부터 학습 분위기를 바르게 만들면 좋다. 공개수업은 지도안을 사전에 작성해야 하며 당일 수업을 공개한다. 수업 참관하면 수업 참관록은 현장 작성한다. 수업 후에는 수업 나눔 한다. 이 과정이 교사 공개수업은 일상이다.

우리나라 초·중·고 교사는 매년 공개수업을 한다. 학교 자율장학, 학부모 공개수업, 스스로 원하는 외부 공개수업, 전문성 향상을 위하여 노력한다. 공개수업 여러 번 하면 수업에 자신감이 생긴다. 공개수업이 오히려 자부심을 크게 높이며, 자존감도 향상하게 된다.

배움에 힘쓰는 교사들은 많다. 각종 연수에 열심히 참여하며 노력한다. 우리나라의 교사 연수 시간은 어마어마하다. 과기엔 연수 이수 결과를 학점화하여 보수나 수당을 지급한다더니, 그런 일은 없었던 제도가 되었다. 요즘엔 교사 성과급에 일정한 이수 시간을 적용한다. 그래도 교사는 스스로 열심히 평생 공부한다. 수업 공개, 수업 연구회, 교사 연수, 교사동아리 활동을 참여하며 배우고 있다.

교내 공개수업은 일상이다

우리나라 초·중·고 교사는 매년 공개수업을 한다.

학교 자율 장학, 학부모 공개수업, 스스로 원하는 외부 공개수업, 전문성 향상을 위하여 노력하고 있다.

공개수업 여러 번 하면 수업에 자신감이 생긴다. 공개수업이 오히려 자부심과 자신감이 생긴다.

기술 교사 공개수업 경험이다.

수행평가도 공개수업 시간에 함께 한다. 수행평가를 공개수업 시간에 하면 모두 열심히 한다. 이유는 점수로 보장되기 때문이다. 수업 설계를 잘해야 한다. 교사의 수행평가를 공개수업 한다는 것은 매우 중요하다. 학생들은 점수를 잘 받기 위해 수업하는 게 아니라, 학습 목표를 달성하고 역량을 함양하는 것이다.

또한 공개수업은 활동 중심 수업을 주로 했다. 생각나는 대로 주제만 작성한다. 삼각법으로 도면 그리기, 발명 아이디어 산출하기 브레인스토밍과 발표, 큐브 제작하기, 종이 아치교 만들기, 건축 모형 제작하기, 보고서 작성하고 발표하기, 수송 기술 자동차 만들기, 미래 자동차 앱 활용하는 수업, 구글 어스 활용하는 건축물 찾아보기 수업, 주로 개인 또는 함께 참여하는 공개수업 했다.

이 외에도 많지만, 다른 장에서 안내한다. 교과 내용 지식 전하는 공개수업은 거의 하지 않았다. 이유는 이론 수업은 잘해야 본전이고, 기술 교과의 본질을 보여주려고 했다. 공개 수업하게 되면 참관하는 분들에게도 만들기 재료를 준다. 학생들처럼 메이커 경험을 느끼도록 했다.

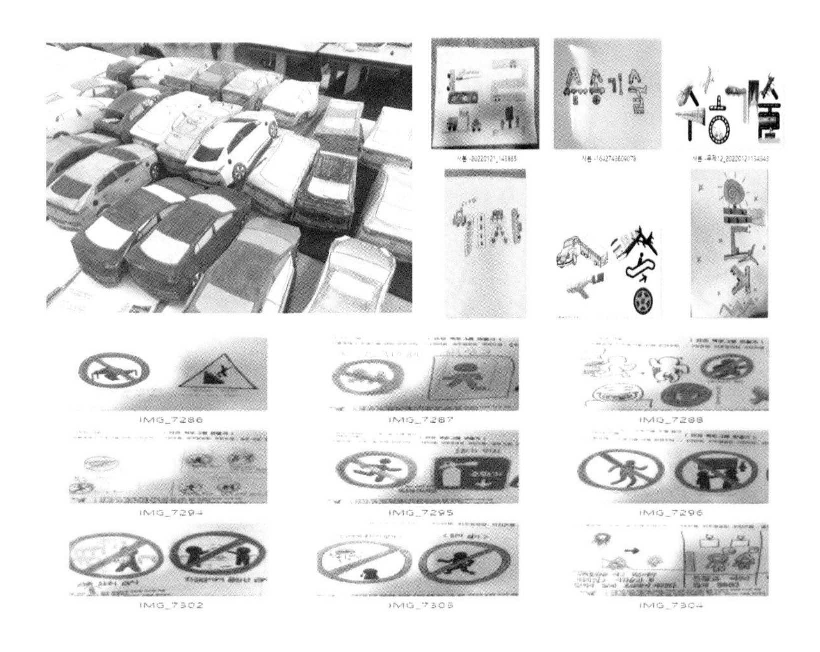

교사의 공개수업 참관은 전문성 향상하는 지름길이다. 다른 교과, 다른 학년, 다른 학교 선생님들의 수업 참관 적극적으로 권장한다. 특히 초·중·고 학교급 상관없이 권장한다. 시간이 없는데 언제 참관하느냐고 할 것이다. 교사의 적극적인 수업 참관 횟수가 많아지면 전문성은 더욱 향상된다고 생각한다. 평생 수업하는 게 교사의 삶이고 업이다.

교사의 전문성과 자신감 향상 길을 안내한다. 매년 수업 연구대회에 참가를 권장한다. 또는 대학교에서 개최되는 수업 연구대회에도 참석하길 바란다. 이유는 여러 가지지만 교사 수업 전문성 향상의 지름길이다. 수상이 목적이 아니라 수업 대회 참여하면 준비하는 과정에서 경험과 자신감과 만족이 생긴다.

데일 카네기는 "세상의 중요한 업적 중 대부분은, 희망이 보이지 않는 상황에서도 끊임없이 도전한 사람들이 이룬 것이다."라고 했다. 누구나 기회는 있다. 기회는 준비하는 자에게 행운이 온다고 한다. 실수나 실패도 하지만 이게 전문성이다. 도전하여 성취하는 게 전문성 향상의 길이다.

기술 교사는 다양한 연수를 적극적으로 권장한다.

지역의 모임도 좋고, 전국 단위 모임도 권장한다. 발명진흥회의 발명 연수, 저작권 위원회의 저작권 연수, 인공지능 코딩 연수, 목공 연수 등 다양하게 있다. 바쁘더라도 시간을 아끼면서 참석하면 기술 교사의 전문성은 나날이 성장한다. 그뿐만 아니라 교육에 관한 다양한 정보를 얻는다.

모든 연수가 교직에 크게 도움이 된다.

내 생각이고 경험이 모두 옳은 그것만은 아니다. 연수는 교사 전문성을 향상하는 지름길이다. 교사의 수업 전문성은 학생 교육에 발휘된다. 배워서 남 주는 게 교사의 삶이다.

수업 나눔은 동상이몽이다.

교사는 신규교사 저 경력 교사의 수업을 참관하고 수업 컨설팅을 하게 된다. 교사의 공개수업을 참관하기가 불편한 점도 많다. 요즈음 선생님들은 자기 주도성이 뛰어나서 대부분 잘한다. 수업 분석표에 근거한 관찰이다.

수업 컨설팅 분석표에 의하면 일부 조언도 필요한 사항이 눈에 띈다. 수업 참관은 학부모 공개수업 날짜나 자율 장학 때 주로 한다. 교실 상황과 학생 참여 태도 등을 구체적으로 잘 관찰하려면 교사와 학생에게 집중하여야 한다. 수업 참관은 사실 수업하시는 분만큼 까다롭고 힘들다.

수업을 관찰하고 나면 수석교사와 수업 공개 교사의 대화시간을 가진다. 수업 후 좋은 점과 개선점을 알리는 상황에서 동상이몽을 느낀다. 학생을 가르치는 같은 처지에 있는데 속생각은 서로 다를 수 있다는 뜻이다. 수업 후 각자 느낌과 배운 점과 생각은 항상 다르다. 어쩔 수 없는 현상이다.

요즈음에는 수업 컨설팅 또는 수업 나눔으로 표현한다.

과거에는 수업 장학이라 하여 교장, 교감, 부장 교사, 교과 담당 교사 모두 참석하였다. 수업 공개 후의 수업 나눔 대화에 좋은 경험을 한 교사는 거의 없을 것이다. 이유는 언급하지 않아도 공감할 것이다. 그래서 공개수업을 꺼리는 분위기가 많다. 요즈음에는 자율 장학 때문에 수업 참관을 자주 한다. 수업 후 잘한 점을 칭찬하고 수업 컨설팅을 하는 경우가 많다. 실제로는 수업 참관이 아니고 수업 참견을 해야 한다. 수업을 자세히 보아야 참견할 것도 많다.

누구를 위한 분석인가?

자기만족은 교사가 수업을 마치고 교실을 나올 때 알게 된다. 학생들의 수업 만족도는 잘 모른다. 무엇을 만족한다는 기준이 모호하다. 학습 목표 달성인지, 교과 역량 함양인지. 인기인지 잘 모른다. 신규교사나 저 경력 교사는 수업을 열심히 한다. 학생과 상호작용하고 활동적인 수업 계획을 세워 차분하게 진행한다. 수업 참관의 본질은 학습 목표 달성이 우선임을 확인하고 완전 학습을 유도하는지 관찰할 뿐이다. 학생이 잘하는지가 중요하다. 학교 종이 울린다. 그러면 교실 수업 참관은 마치게 된다. 수업 참견의 관찰 사항의 하나인 학생들의 반응을 보면 알 수 있다.

알베르트 아인슈타인은 “어제로부터 배우고, 오늘을 위해서 사십시오. 가장 중요한 것은 질문을 멈추지 않는 것입니다.” 라고 말해 배움과 질문의 중요성을 강조했다. 모르면 무조건 묻는 게 공부에 좋은 방법이다. 수업 나눔 시간에 주로 하는 질문 사항이다.

평소에는 어떻게 수업하는지, 오늘따라 특별하게 수업하는지 궁금하다. 학습 목표 달성하면 성공적인 수업이다. 수업에는 교사의 가치관과 철학이 있어야 한다. 수업의 형식과 방법은 차선이고 학생과의 긍정적인 관계와 상호작용이 중요하다. 수업 참관 후의 처음 대화엔 교육철학을 묻고 답하는 경우가 많다. 우리가 함께 학생 교육에 노력하고 있다는 것을 서로 대화하는 것이다. 공개수업에 고생이 많았다는 격려의 시작이다.

왜 이 수업을 하게 되었는가?

수업 후 깨달은 점은?

배운 점은?

느낀 점은?

체스터 필드는 "모르는 점에 관해서는 그것에 정통한 사려 깊은 인물에게 물어보는 것이 제일이다. 책은 아무리 자세히 기록되어 있다. 하더라도 거기에서 완벽한 정보를 얻기란 어렵다."라고 했다. 질문은 궁금증의 해결이며, 배움의 출발점이다. 빠르게 배워 알 수 있는 제일 나은 방법이다.

의사가 수술하면 여럿이 관찰하고 의술을 배운다. 수술 장면을 관찰하고 방법을 자세하게 본다. 이후 회의 세미나 워크숍에서 질문하고 배우게 되면서 전문성을 향상한다. 학교에서도 공개수업 후 수업 나눔을 한다. 수업 참관과 수업 나눔 시간은 교사들이 상호 정보교환 하는 가치 있는 시간이다.

교직의 간접 경험을 나누는 시간이다. 이 시간에 배우는 게 너무 많다. 모른다고 하면 부끄러워할지 질문을 거의 하지 않는 게 일부 교사의 행동이다. 알면서 모른 척하거나, 모르면서 아는 척을 하면서 지내는 게 교사다. 기초적인 질문이 부끄러워 혼자서 해결하려고 끙끙 앓다가 걱정만 한다. 용기를 내어 질문을 하면 해결 방법이 나올 수 있다. 질문을 부끄러워하지 말라. 서로 배우는 교학상장이다. 교사의 나눔은 집단지성의 힘이 된다. 전문성 신장은 교사의 책무이고 의무다.

교사는 미래인재를 양성하는 지도자이다.

공개수업은 반면교사다

학교는 자율 장학을 한다.

동 교과나 동 학년 전문적 학습공동체의 자발적인 연구 분위기 조성과 수업 방법 개선을 목적으로 한다.

전문적 학습공동체는 배우며 성장하는 학습공동체이다. 공부하고 연구하고 수업 나눔 행사를 하는 교육 공동체. 교사끼리 수업 공개하고, 교육과정 함께 연구하고, 공동으로 수업 지도안 작성하고, 동 학년 함께 수업 나눔하고, 현장의 문제 함께 해결하는 공동체이다. 교사들의 자발성, 함께하는 동료성, 학교 업무 책무성으로, 성장과 성찰하는 공동체이다. 체험과 수업 사례 공유와 교사의 전문성 역량을 개발한다.

교사들이 갖추어야 할 역량은 무엇인가?

어디에서 어떻게 활동하나?

언제 어디에서나 전문성 활동을 한다. 학교 안, 학교 밖. 협업과 집단지성이다. 학습공동체는, 교육의 변화를 위해, 교사에게 역할을 하도록 지원하고, 교육활동에 대해 간섭하지 않는 제도를 진심으로 희망한다.

동료 장학은 동료 교사 간에 교육활동을 개선하기 위하여 공동으로 노력하는 과정이다. 수업의 효율성을 높이기 위해서는 교사들의 전문성을 신장하는 방법이다. 이 또한 쉽지는 않다. 교내 장학은 동 교과, 동 학년 운영이 원칙이다. 모두 정보 공유를 위한 노력이 제일이다. 동료의 공개수업은 교사의 성장을 돕는 역할을 크게 한다.

"교육의 질은 교사의 질을 넘을 수 없다"라는 의미를 다시 강조한다. 교사는 배워서 남 주는 게 삶이고, 교직 생애 기간 배움에 게을리하지 말아야 한다. 스스로 연구하고 탐구하는 교사가 많아지고 있다. 수업 우수교사, 학급경영 우수교사에 대한 보상을 강화하는 제도도 필요하다. 이왕이면 선배 교사에게 도움을 요청하는 풍토도 조성되길 기대한다. 전문적 학습공동체를 하다 보면 수업 고민도 해결할 수 있고, 전문가로서 성장하는 느낌도 든다. 교사의 행복 원천이 내 곁의 동료 교사임을 이제야 깨닫는다. 교사가 교재를 연구하고, 학생과 교학상장(教學相長) 하는 게 자랑스러움이다.

공개수업은 자랑이다. 교사의 공개수업은 자신감이며, 자신을 자랑하는 방법이다. 나 수업 제대로 잘할 자신 있다는 증거다. 그러나 공개수업을 보여주기식의 수업은 걱정이다. 평소에 하는 모습을 공개하는 수업이 중요하다. 이벤트성 수업은 한 번뿐이다.

그리고 학생들은 다 안다. 오늘따라….

교사가 오래 행복하게 하려면 평소의 수업을 잘하는 게 중요하다. 물론 특별한 날이니 특별한 걸 하는 게 당연하게 여길 수 있다. 특별한 날이라고 특별하게 준비하면 신경 쓰이고 이런 수업 왜 하지? 생각한다.

공개수업은 교사의 수업 역량을 높이고 동료 장학을 통해 우수한 수업이 확산할 수 있도록 하는 거다. 공개수업에 참관하여 다른 교사의 수업을 지켜볼 기회다. 공개수업을 하는 교사들은 동료 교사들에게 자신의 수업을 공개하여 나눔의 시간을 갖는다. 공개수업과 나눔 활동엔 대부분 교사가 소극적이다. 이유는 매우 다양하다. 괜히 번거롭고 어색하고 심적 부담감과 거부감이 있다. 늘 잘 해왔고 지금도 잘하고 있고 앞으로도 잘할 것이기 때문이다.

수업을 바꿔야 한다고 누가 말하는가?

왜 바꿔야 하는가?

공개수업은 어떤 의미가 있을까?

교사는 수업의 변화를 위해 노력하고 있다. 교사라면 모두 공감할 것이다. 공개수업은 교사의 자신감이다. 스스로 만족하며, 스스로 자부심에 빠지게 된다. 그리고 보여주기식이 아닌 평소의 수업이므로 부담도 없다. 수업을 변화시킬 수 있는 좋은 경험을 한다. 공개수업은 교사의 내적 효능감과 성장을 한다.

멘토링 교사에겐 Tipper이다

교사 멘토링(mentoring)이란 무엇일까?

멘토링(mentoring)은, 풍부한 경험과 지혜를 겸비한 신뢰할 수 있는 사람이 1:1로 지도와 조언을 하는 것이다. 순화어로는 지도, 상담, 후원이라고도 한다. 경험과 지식이 많은 사람이 스승 역할을 하여 지도와 조언으로 그 대상자의 실력과 잠재력을 향상하게 시키는 것 또는 그러한 체계를 '멘토링'이라고 하는데, 여기서 스승 역할을 하는 사람을 '멘토(mentor)', 지도 또는 조언을 받는 사람을 '멘티(mentee)'라고 한다.[4)]

교사 멘토링이 요즘 화제다.

멘토링은 선·후배 사이에 결연하고 선배의 경험과 지혜는 물론 지식까지 서로 나누는 인간관계 프로그램이다. 후배 교사와 선배 교사의 만남이다. 학교에서 겪는 학생 지도의 어려움이나 고민을 도움받아 해결하는 방법이다. 저 경력 교사는 선배 교사의 수업을 참관하는 게 도움이 된다.

---

4) 위키백과
https://ko.wikipedia.org/wiki/멘토링

교육 방송이나 유튜브 영상을 관찰해도 좋다. 다른 교과도 참관해 보면 수업에 많은 도움이 된다. 선배와 초임 교사 멘토링이 역지사지요 반면교사가 된다.

교사 수업은 특별하게 잘하는 사람 없고, 특히 못 하는 교사도 없다. 한 마디로 오십보백보다. 다만 수업 경험으로 보면 학습 목표 달성이 중요하다. 재미있는 수업인지, 보여주는 수업은 한순간 지나면 끝이다. 이 수업의 의미와 본질을 알면 된다. 이 수업을 통해 무엇을 배우고 알게 되는지가 중요하다. 초임 교사 때 어떤 선배 교사를 만나느냐가 교사 역량에 큰 영향을 준다. 물론 다 그런 것은 아니다. 교사 멘토링은 후배 교사와 대화의 기회가 많아지길 기대한다. 대부분 무엇을 질문하기에 나이 많고 경험 많은 사람들이 부담된다고 한다. 이를 극복하는 자세를 바란다.

멘토링도 자발적으로 이뤄져야 효과가 있다. 교사 간의 친밀감을 높여 교직 사회의 세대 간의 벽을 낮추는 효과도 거둘 것이다. 조언을 통해 상호 장점을 배울 수 있다. 선배 교사의 경험을 간접적으로 빠르게 배울 수 있는 좋은 제도이다.

멘티 교사는 좋은 교사로 성장하게 되길 기대한다.

수업 연구대회

수업 연구대회는 누구에게나 기회가 보장되지만 아무나 참석하지 않는 대회이다. 대회를 통해 자발적인 적극적으로 참여가 중요하다. 대회에 참가하지 않고도 수업을 잘하는 교사는 많다. 다만 대회의 목적인 교사들의 수업 개선을 촉진하고 수업 혁신 분위기가 조성될 수 있도록 하기 위함이다. 또 하나의 목적은 입상의 경우 승진 가산점이 부여된다.

다양한 학생 참여형 수업 사례를 확산하고, 공개수업을 해서 수업을 잘하는 교사에게 승진 가산점을 주는 대회로 시행하는 시도교육청이 많이 있다.

우리나라는 수업 잘하는 교사를 오히려 수업에서 배제하고 관리자가 된다. 수업을 잘하는 교사들은 학교 현장에 정년 때까지 남겨서 학생들을 가르치게 해야 하는데 어디에 있는지 궁금하다. 이런 제도가 과연 옳은 것인지 개선할 여지가 크다. 교사들이 가르치는 것에 보람을 느끼고 평생 가르치면서 정년을 채우는 바람직한 교육풍토를 만들어야 한다. 이게 바로 수석교사제도이다.

우리나라는 2012년 초·중등교육법에 수석교사제를 법제화했다. 현재는 초·중등교육법 시행령으로 정하지 않아 방치한 상태 탓에 수석교사제를 안정적으로 운영할 수 없는 실정이다.

수석교사는 일원적·수직적인 교원 승진 체계에서 벗어나 전문적으로 교수·연구 활동을 담당하도록 신설된 별도의 직위로서 수석교사제는 관리직 교원과 달리 운영하고 제도적으로 정착시키기 위해 도입되었다. 즉 관리직 중심의 승진 지향적인 교원 자격체계를 개편함으로써 수업 전문성이 뛰어난 교사들이 관리직으로 전환하지 않고도 일정한 대우를 받으면서 지속해서 교단에서 자긍심을 갖고 교직 생활을 지속할 수 있도록 하려는 취지에서 도입되었다. 그러므로 수업 능력이 탁월한 교사 중에 일정한 연차가 되어 수석교사로 지원할 수 있으며 선발되면 학교 내외에서 교수법과 평가 방법을 연구하고 후배 교사들에게 수업에 대한 지도와 상담을 할 수 있도록 해야 한다.

(헌법재판소 2015.6.25. 선고 2012헌마494 결정; 교육공무원법 제29조의 3 제4항 등 위헌 확인)

수석교사는 대한민국의 유·초·중·고등학교의 교사 중 수업 전문성이 뛰어난 교사들이 교감이나 교장 등의 관리직으로 승진하지 않고도 일정한 대우를 받고 지속해서 교단에서 교직 생활을 할 수 있도록 하며, 교원의 전문성 제고를 위해 도입된 제도이다.

교원체계에서 관리직과 교수직을 엄격하게 분리하여 관리직 중심의 승진 지향적인 교원 자격체계를 개편한 것이다.

최근엔 교사의 수업 공개와 행정 업무 과다, 교원 평가로 인해 교사가 힘들어지고 있다. 국가 시스템이 교육을 다 망치고 있는 거나 다름없다.

수업은 누가 하는가?

수업을 잘하는지 못하는지가 중요한 게 아니라 수업을 잘하면 누가 이익인가?

교사에게 평생 수업을 잘하도록 지원하고 격려하고 지지해야 한다. 교사에게 잘해야 국가의 장래가 밝다. 교사는 국가의 미래이다. 미래인재 양성은 교사에게 달려 있다.

전문적 학습공동체는 수업 친구이다.

학교 교사는 전문적 학습공동체가 필수가 되었다.

교사는 수업 공개와 협의회 등 수업 나눔으로 전문성이 향상된다. 전문적 학습공동체는 월 1회 또는 주 1회 등 안정적이고 정기적인 시간을 정하여 지속해서 운영한다. 정기적인 모임이어야 십난지성이 발휘되는 수업연구가 이루어질 수 있다. 교과별, 학년별 교사들이 수업에 적극적인 지원을 하는 학교의 배려가 필요하다. 소감 나누는 시간은 서로에게 존중하는 태도를 갖추고 편안하고 즐거운 분위기가 좋다. 수업에서 발견한 자신의 배운 점을 나눈다. 가장 중요한 교사의 연수이다.

이제 교육과정의 다양화나 수업의 변화는 피할 수 없는 시대가 되었다. 수업의 어려움과 즐거움을 공유하고, 수업 설계와 학생의 배움 과정을 통해 교사의 수업 전문성이 향상되는 것이다. 교과의 본질과 수업 교사의 철학, 학생들의 배움에 대한 깊이 있는 얘기들을 나누는 게 제일이다.

전문적 학습공동체는 수업 친구이다.

소중한 수업 친구 맞다. 평생 해야 할 수업 친구이다. 학교는 수업 친구가 제일이다. 마치 가족보다 더 소중하게 생각하고 지낸다. 학교는 가족과 지내는 시간보다 더 많이 지내기 때문이다. 학교에서 동료 교사와 잘 맺은 인간관계는 평생 간다. 전문적이라는 단어는 교사의 전문성을 의미한다. 학습은 평생교육이다. 공동체는 모든 교사는 선생님이다.

"혼자 가면 빨리 가고, 함께 하면 멀리 간다"라는 속담이 생각난다. 교직 평생 하려면 함께하는 공동체이길 기대한다.

수업을 바꾸기 위해 고민하고, 실천하는 게 교사의 삶인가 보다. 교사는 최선을 다해 수업하고 있음에도 불구하고, 안을 들여다보면 상처를 많이 안고 있다. 서로 상처를 치료해 주는 지지자이자 격려가 되기 위해 전문적 학습공동체가 존재하는 것이다, 교사가 행복해지기 위해서 수업을 바꿔야 한다고 생각한다. 무조건 바꾸는 게 아니라 성취 기준에 맞게 적절하게 바뀌어야 한다는 말이다. 수능 제도는 언제 바뀔지 모르지만, 지금의 수업이 변화 없다면 미래인재의 변화도 없게 된다.

교육 실습생은 미래 교사이다

교육실습생 목적은, 대학교에서 배운 이론에 교직 경험을 제공하고, 교직 기술의 습득 기회를 제공하는 데 있다. 그리고 교직자 정신 확립을 도와주며, 자기 자신에 대해 이해할 수 있는 시간이다.

학생 신분으로 교육실습생은 교사의 경험을 4주간 한다. 길다면 길다고 할 수 있지만 매우 짧은 경험의 시간이다.

이 기간에 교직의 무엇을 배울 수 있을까?

누군가는 충분하다고 하겠지만 50년 전 정해진 기간이다. 이 기간은 더욱더 늘려야 한다. 3개월에서 6개월 정도이어야 한다. 이유는 간단하다. 교직 4주 경험하고 이게 교직인가 보다 생각할지 걱정이다. 교육 실습 기간은 새로운 직장생활이다. 신입사원이나 마찬가지이다. 모든 게 새롭고 신기하고 어리둥절하다.

교생 실습을 4주간 경험하여도 직장인 신규교사로 모든 게 낯설다. 각자 적응을 잘해야 한다.

교육 실습은 교사의 체험이다.

실습하는 학교에서 교육자의 자세와 태도를 배운다. 교사로서의 태도를 갖추고, 명랑하고 기쁜 마음으로 학생을 대한다. 단정하고 올바른 자세를 가져야 하며, 학생들과 만나기 좋아하며 친절하고 품위가 있어야 한다. 소박하고 깨끗한 옷차림을 가져야 한다. 교생의 태도는 공손하고 다정한 인사성 밝게 지내며, 단정한 복장, 실내에선 실내화 신기 등이다. 수업에 열정과 성실성을 가져야 하며, 상호 간 존중하는 태도를 보여야 한다.

갑자기 자유로운 대학생에서 모범적인 교사가 되는 모습이다. 교직원에게 친절하게 대하는 기본을 익힌다. 의사들의 인턴 시절처럼 여러 가지 배우느라 바쁘다. 학교 문화에 적응하느라 정신없이 하루가 지나간다. 교육의 정석과 수업의 정석을 제대로 가르쳐야 한다.

교과 지도 교사의 업무와 학급 담임교사의 업무를 관찰하고 기록한다. 행정 부서의 업무도 파악한다. 학교에 적응이 되어 가면 교과 지도 교사 교과 수업 시간에 참관한다. 수업 기술과 배움이 일어나는 지점이 어디 인지 선배 교사의 비법을 배운다.

교육 실습은 담임교사의 임무를 수행하는 일이다. 학급 담임교사 체험을 배우고 익히는 게 교생 실습이다. 학급 학생들의 활동 모습을 구체적으로 관찰하며 지낸다. 점심시간, 청소시간 지도, 학교 업무 파악, 교수 학습 지도안 작성 준비에 정신이 없다. 학생 맞이 안전교육으로 아침 교문지도, 점심시간 급식 지도, 하교 지도까지 하루가 빠르게 지나간다.

4주 차에는 공개수업 실시하느라 미리미리 준비해야 하고, 공개수업 후의 수업 나눔을 한다. 교육실습생을 지도하는 선생님들 업무가 늘어난다. 그렇지만 교직에 뜻을 두고 있는 예비 교사에게 정성을 다해서 지도한다.

교생 실습에 대해 평가회를 하고 마무리하는 자리에서 교육실습생들은 대부분 같은 이야기를 한다.

"다양한 경험을 해서 앞으로 교직 생활을 하게 되면 많은 도움이 될 것이다."라고 소감을 이야기한다.

교생은 미래 교사이다.

기술과 공개 수업 이야기

기술 교사 공개수업 경험을 안내한다.

1990년대 초반에는 수업 연구대회가 있었다. 교사 경험이 적은 저 경력인데 무작정 도전했다. 당시 스스로 만족하지 못해 한 번 더 도전하여 연구하여 최우수 수상받기까지 힘들었지만, 교직에서 좋은 경험으로 지금까지 자랑스럽다.

공개수업은 활동 중심 수업을 주로 했다.

생각나는 대로 주제만 작성한다. 삼각법으로 도면 그리기, 발명 아이디어 산출하기 브레인스토밍과 발표, 큐브 제작하기, 종이 아치교 만들기, 건축 모형 제작하기, 보고서 작성하고 발표하기, 수송 기술 자동차 만들기, 미래 자동차 앱 활용하는 수업, 구글 어스 활용하는 건축물 찾아보기 수업, 주로 개인 또는 함께 참여하는 공개수업 했다.

이 외에도 많지만, 다른 장에서 안내한다. 교과 내용 지식 전하는 공개수업도 있었지만 거의 실습 위주로 한다.

이유는 이론 수업은 잘해야 본전이고, 기술 교과의 본질을 보여주려고 했다. 공개 수업하게 되면 참관하는 분들에게도 만들기 재료를 준다. 학생들처럼 메이커 경험을 느끼도록 했다.

교사의 공개수업 참관은 교과 전문성 향상하는 지름길이다.
다른 교과, 다른 학년, 다른 학교 선생님들의 수업 참관 적극적으로 권장한다. 특히 초·중·고 학교급 상관없이 권장한다. 시간이 없는데 언제 참관하느냐고 할 것이다. 교사의 적극적인 수업 참관 횟수가 많아지면 전문성은 더욱 향상될 것이다. 평생 수업하는 게 교사의 삶이고 업이다.

기술 교사는 다양한 연수를 적극적으로 권장한다.
나는 매년 각종 연수에 많이 참석한다. 지역의 모임도 좋고, 전국 단위 모임도 권장한다. 발명진흥회의 발명 연수, 저작권 위원회의 저작권 연수, 요즘 AI 연수. 목공 연수 등 다양하게 있다. 바쁘더라도 시간을 아끼면서 참석하면 기술 교사의 전문성은 나날이 성장한다. 그뿐만 아니라 교육에 관한 다양한 정보를 얻는다. 내 생각이고 경험이 모두 옳은 것은 아니다.

모든 연수가 교직에 크게 도움이 된다. 연수는 교사 전문성을 향상하는 지름길이다. 배워서 남 주는 게 교사의 삶이다. 교사의 수업 전문성은 학생 교육에 발휘된다. 그래서 나온 말 다시 강조한다. "교육의 질은 교사의 질을 능가할 수 없다."

교사의 전문성과 자신감 향상 길을 안내한다. 교육부나 교육청, 교육 방송 주관, 교육부 주관이든, 매년 수업 연구대회에 참가를 권장한다. 또는 대학교에서 개최되는 수업 연구대회에도 참석하길 바란다. 이유는 여러 가지지만 수업 전문성 향상의 지름길이다. 수상이 목적이 아니라 수업 대회 참여하면 준비하는 과정에서 경험과 자신감과 만족이 생긴다.

데일 카네기는 "세상의 중요한 업적 중 대부분은, 희망이 보이지 않는 상황에서도 끊임없이 도전한 사람들이 이룬 것이다."라고 했다. 누구나 기회는 있다. 도전하면 기회가 보장되는 것이다. 기회는 준비하는 자에게 행운이 온다고 한다. 실수나 실패도 하지만 이게 전문성이다. 교사는 수업 연구에 도전하여 성취하는 게 전문성 향상의 길이다.

3. 공개수업 TIP

교육의 질은 교사의 질을 넘어설 수 없다고 한다. 그렇다면 교육제도의 질을 누구에게 달려 있을까?

교육환경의 질은 어떠한가?

모두가 배우고 성장하는 공개수업을 할 수는 없을까?

매년 학교 교사는 1년에 1~2회 정도의 수업 공개를 진행하고 있다. 수업 공개의 날에 학부모가 참관한다. 교사에게 수업 공개와 나눔은 교직 경력과 관계없이 부담스럽다. 수업에서 자신의 허점이 나타나거나, 학생의 반응에 부담이 크기 때문이다. 공개수업 후 나눔의 시간을 갖는다. 그렇다고 동료 교사가 수업을 관찰하고 나눔을 꼭 해야 한다는 것은 아니다. 수업 공개와 수업 나눔은 적극적으로 장려돼야 한다.

수업을 변화시키기 위해서는 수업을 많이 봐야 한다. 교사와 학생이 모두 행복하고 즐거운 수업을 만들고 싶다면 어떻게 해야 할까? 수업 공개와 수업 나눔에 대한 인식변화가 있기를 기대한다.

그동안의 일부 공개수업 지도안과 내용은 [부록]을 참고하기를 바라며. 요령을 피운 공개수업에 대하여 안내한다.

일단 학생들의 진도에 맞추어 수업을 진행하는 때도 있었다. 하지만 대부분 학생 참여도와 만족도가 떨어지기에 나름대로 생각했다.

경력이 쌓이면서 일상적인 수업에서 단원 내용과 관련 있는 만들기 수업을 준비했다. 함께 참여하는 수업, 즐겁고 신나고 재미있고 의미 있는 수업을 하려고 고심했다. 결론은 평소와 다름없이 일상적인 수업에서 활동하는 내용을 구상하여 바꾸었다. 모든 공개수업은 만들기 수업이나 활동 중심 수업으로 진행했다.

학교 공개 수업은 어떠한가?

모든 수업은 생방송이다. 방송에서는 생방송도 예행 연습한다. 연습을 실전처럼 한다. 고되지만 훈련을 거듭하는 게 생방송이다. 교사 수업은 여러 차례 연습할 수도 없고, 절대 그럴 수 없는 게 수업이다. 과거엔 다른 반에서 연습하고 본 시 학급엔 사전에 알려주고 실시했다. 요즘엔 전혀 그렇게 하지 못한다. 교사는 늘 수업 준비하고, 연구하고, 수업을 디자인하는 게 일상이 되었다.

오늘날 교사의 공개수업이 이렇다. 그래서 수업 공개는 신경 쓰이고 누군가 와서 보니 학생들과 교사 모두 꺼린다. 공개수업은 일상에서 벗어나는 변수가 많아서 더욱 힘들다. 수업을 보여주는 게 불편한 게 사실이다. 교사는 새로운 이벤트를 하고 싶은 욕구에 빠지기도 한다. 특히 학생도 수업에 집중을 잘하지 못하고, 평소에 전혀 하지 않던 행동을 수업 참관하신 분들 앞에서 하는 경우도 발생한다.

오늘따라 왜 이래? 할 수 없는 상황이다.

평소와 다름없이 일상적인 수업을 보여줄 것을 제안한다. 공개수업 참관록에는 자녀의 수업 태도에 대해 아쉬움을 기록하여, 성장과 발전을 위한 참관이길 바란다.

공개수업

우리 선생님 공개수업
교실 뒤쪽에 학부모, 동료 교사, 관리자
무엇이 궁금한지 와서 본다.
쫑긋 세우고 뚫어져라 쳐다보고
학습지, 에듀테크 대기하고
모두가 교사와 학생을 쳐다보고 기다린다.

우리 선생님 준비한 땀 맛이 제멋이다.
칠판엔 또박또박, 모니터는 짜잔
쓱싹쓱싹 소곤소곤 쫑알쫑알 소리 내며
뇌를 깨우는 생각하는 시간이다.
매일 아니라서 천만다행이다.
준비하느라 수고했다.

이제 마치니 속 시원하다.

만드는 활동은
인간의 본성이라는 관점에서,
제작 방식에 관계없이
우리는 모두
만드는 사람이다.

- 데일도허티(Dale Dougherty) -
TED 강연

항해 / 53X45.5 /Acrylic canvas 그림 김종숙

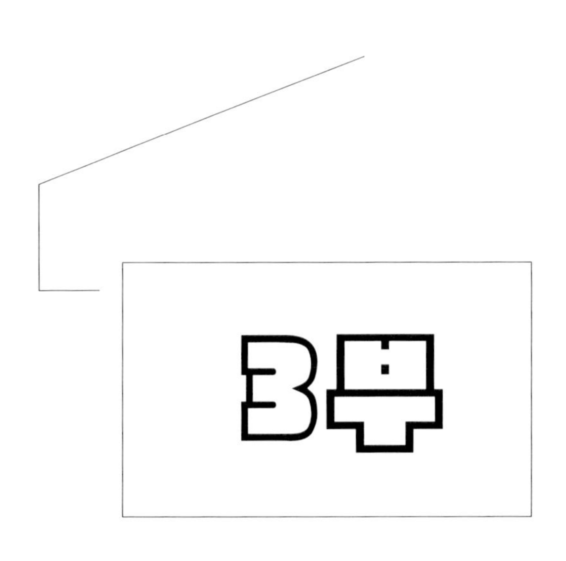
3부

과정 중심
수업 & 수행평가
실습 이야기

수행평가 사례

3부. 과정 중심 평가 실습 이야기

기술 교사는 실습수업 준비에 더욱 신경이 쓰인다. 필요한 재료와 공구와 도구를 미리 구매하고, 반별로 배정하고, 실습 수업 준비하느라 늘 바쁘다. 만들기 실습은 수행평가이고, 과정을 관찰하고 특기사항은 학교생활기록부에 기록한다.

중·고등학교는 기술 실습은 주로 만들기이다. 간단한 작품에서 긴 시간을 거치는 PBL 과정이다. 실습한 주제나 제목 일부이다. 발명품 만들기, 목제품 만들기, LED 전등 만들기, 정보 윤리 십계명 만들기, VR 장치 만들고 앱 활용 수업, 안전 픽토그램 그리기, 스케치업 프로그램 활용 설계, 주택모형 제작하기, 전기자동차 만들기, 로봇, 드론 조종 코딩하기 등 다양하게 했다. 기술 수업 시간에 컴퓨터 게임도 활용한다. 저작권 게임, 컴퓨터 게임, 자동차 경주 게임, 드론 조종게임 드론 파이터, 기업가정신 게임, 미래 자동차 게임 앱 등이다.

3부는 과정 중심 수행 과정 및 만들기 실습 이야기와 경험이다.

1. 수업의 전문성은 무엇인가?

기술 교사는 기술 교과를 가르치면서 많은 것 공부한다. 또한 최신 기술에 대한 전문성이 더욱더 노력한다.

교사는 누구나 다 마찬가지다. 특히 실습 전문성은 더욱 강조한다. 이유는 간단하다. 체육 교사가 운동을 못 하거나, 음악 교사가 악기를 다루지 못하거나, 미술 교사가 그림을 못 그린다면 어떻게 되겠는가?

모든 교사는 전문적인 분야의 지식과 역량을 가지고 있다. 기술 교사는 다양한 분야의 지식과 능력을 갖춘 만능이 되면 좋은 점이 많다. 행복한 생활이요 능력자로 인정받는다.

기술 교사의 수업 전문성은 교과를 잘 가르치는 능력이다. 지식을 삶과 연계하여 가르치는 메이커 활동력이 중요하다. 기술적 능력을 기르기 위하여 도구와 공구 사용법 숙련도 능력이다. 또한 창의공학 설계, 만들기 활동, 디자인 싱킹 등의 교수·학습 방법 등을 활용하여 노력하는 게 기술 교사의 전문성이다.

기술 교사의 자신감

기술 교과는 기술혁신을 주도할 창의적인 이공계 인재 양성이요, 국가 경쟁력을 키우는데 큰 밑거름이 되는 교과이다.

수업은 이론과 실습 균형 있는 수업을 권장한다.

기술 교사는 대학의 교수, 전문직 직업인들과 비교하면 특정 분야의 지식수준이 다르다.

일부 기술 교사는 특별나게 특별하게 잘하는 분야도 있다. 기술의 이론적인 내용을 설명하고, 전달하는 능력이 교사의 기본적인 역량이다. 중학교는 만들기 위주의 경험을 제공한다. 학교급에 따라 사정이 다르지만, 고등학교는 학점제에 따라 이론과 실습 병행하는 학교가 많다.

기술 교사는 전문성이 더욱더 요구되고 있다.

교사는 한 과목을 가르치더라도 그 과목과 여러 학문과의 연관성까지 섭렵해야 한다. 다른 과목 지식을 함께 연관 짓고 의미를 부여할 수 있어야 한다. 대부분 교사는 전문성을 향상하려고 매년 꾸준한 연수와 공부하며 노력하고 있다.

기술 교사에게 전문성은 무엇일까?

중등학교 수준의 기술 교육 분야 전문가이다. 기술을 종합적으로 이해할 수 있는 내용 중심으로 이해하고 실천하는 경험을 가르치는 교과 전문가다. 기술 교과의 전문성은 기술 교사의 자신감이다. 학생들에게는 학습권을 최대로 보장하려면 당연한 이치다. 그렇지만 중·고등학교 기술 교과서 수준이 높은 것은 아니다. 수업 전문성은 수업에 대한 자신감이 제일이다.

기술 교사는 실습 전에 만들기를 미리 경험해 보는 게 중요하다. 특히 실습은 미리 경험을 해봐야 제대로 가르칠 수 있다. 만들어 보지 않으면서 실습할 수도 있다. 하지만 교사가 미리 만들어 보고 경험하면, 학생들에게 관찰하고 피드백을 주며 더욱 성장하게 가르칠 수 있다.

학생들이나 교사는 만들기의 실패와 성공 경험이 소중하다. 실패나 실수는 성공의 지름길이다. 메이커 과정이 한 번에 이루어지지는 않는다. 만드는 과정에서 성공과 실패라는 유의미한 경험을 할 수 있도록 돕는 게 기술 교사의 역할이다.

실습은 미리미리 체험한다

기술 시간 실습이나 만들기 하면 재료와 공구가 필요하다. 공구나 도구, 공작 기계는 사용법을 잘 익혀야 한다. 안전 수칙도 준수하고 정리 정돈도 잘해야 한다.

'1만 시간의 법칙'처럼 적용되는 게 도구나 공구의 사용 방법이다. 어쩌다 가끔 사용한다고 숙달되는 게 아니다. 함부로 사용하다간 다치는 경우가 발생한다. 요즘 학생들 칼로 재료 자르기 방법, 가위로 종이 자르기, 자를 대고 금 긋기, 연필을 사용하여 도면 그리기 등 기초가 부족하다. 공구와 도구는 사용 방법을 올바르게 사용해야 한다.

아이디어 구상도 마찬가지다.

생각하는 사고력과 의사소통 능력이 있어야 친구들과 함께 한다. 몇 번 체험한다고 못 하는 학생이 갑자기 잘하는 게 아니다. 꾸준한 반복과 연습이 전문가 되는 지름길이다. 모든 분야가 마찬가지이다. 기술 실습을 하려면 준비할 사항이 많다. 일단 예산에 맞추어 재료 및 공구와 도구는 미리미리 준비한다.

실습은 준비가 제일이다.

공구나 도구는 유비무환이다. 제대로 갖추지 못하면 실습을 제대로 못 할 수도 있다. 기술 교사의 의무요, 책임이다.

교사는 도구 사용 방법을 차근차근하게 가르쳐야 한다. 안전 수칙 강조하면서 사용법 시범을 보여야 한다. 가르쳐도 못 하는 학생이 있게 마련이다. 이런 학생은 맞춤형으로 가르치는 게 교사다. 요즘 학생들 커터칼로 연필도 깎아 본 경험도 없는 학생도 있다. 메이커 활동에는 안전이 매우 중요하다.

"안전이 제일이다"를 강조한다.

기술 교사는 살펴야 할 사항이 점점 많아지고 있다. 도구를 사용하는 자세가 불안정하면 사고가 발생한다. 도구 사용하다 다치면 신체적으로 위험하다. 여러 가지 도구의 올바른 사용법은 안전의 기본이다.

수업 전문성

교사는 수업이 생명이라고 한다.

교사는 수업과 업무, 학생 상담을 하고 있다. 특히 수업을 담당하는 교과 교사는 수업 준비하느라 늘 바쁘다. 학교 교육 활동에서 교육에 관한 말 다시 강조한다. "교육의 질은 교사의 질을 넘어설 수 없다"라는 말이다. 이는 학교 교육에서 교사 역할의 중요성을 강조하는 의미다. 교사는 수업 시간에 지식만 가르치는 게 아니다. 교사의 말과 행동, 태도 모든 분야가 교육이므로 모범을 보여야 한다.

그렇다면, 교육제도의 질은 누구에게 달려 있을까?

교육환경의 질은 누구에게 달려 있을까?

교사의 존재가 교육과 보육을 하느라 더욱 힘들다. 요즘 업무가 많아서 걱정이다. 교사는 외친다.

"수업 시간에 제대로 교육하고 싶다."

교사는 모든 학생이 행복하게 성장할 수 있도록 최선을 다하여 가르치고 있다. 수업을 우선하는 대한민국 학교를 바란다.

수업을 즐겁고 재미있게 하려고 준비를 철저히 하여 교실에 가면 안타까울 때가 많다. 준비한 모든 걸 쏟아내려고 노력하지만, 교실 수업 환경은 희망 사항일 뿐이다.

수업은 교사와 학생의 상호작용이다. 교사는 좋은 수업을 하고 싶다. 좋은 수업은 좋은 학생을 키운다. 배우려고 하는 학생이 많기를 바랄 뿐이다. 교실에는 다양한 학생이 존재한다.

교사는 전 국민의 동네북이 된 지 오래되었다. 잘해야 본전이다. 만약 뭐 하나 제대로 못 한다면 신문과 방송 뉴스에 기사화된다. '보상이나 존중을 제대로 해주는가?' 묻고 싶다.

또한 도덕적으로 요구하는 것은 아주 높다. 학교의 모든 교사는 정신적으로 더욱 힘든 시기이다.

교사는 교과를 가르치면서 많은 업무를 한다. 교사는 전문성이 더욱더 요구되고 있다. 전문성을 넓히려고 매년 꾸준한 연수와 공부하며 노력하고 있다.

과거 기술 교사로 처음 발령받은 학교생활이 생각난다.

1988년 당시에는 기술 수업이 1주일에 4~5시간 수업하던 시절이다. 매일 수업 준비와 공부하느라 고생을 많이 했다.

교과 수업은 주로 강의식으로 프린트 만들어 가르치는 때였다. 고입 연합고사 실시하였기에 1년에 4번 객관식과 주관식 시험 보고 학기별로 1회 수행평가도 했다. 학기 중에는 고입 연합고사 준비를 위한 모의고사도 시행했다.

아침 정규 수업 시간 전과 방과 후에도 보충 수업도 했다. 방학 중 보충 수업은 2주일 정도 했다. 당시의 입시제도에 누구 하나 어쩔 수 없이 지내던 시절이다. 공부한 내용 외우고 시험 보고 평가하는 시기였다. 과거의 학교 교육의 목적과 방법이 지금과 크게 바뀌지 않은 게 안타깝다.

교사의 수업 전문성을 과거엔 진학성적으로 판단하기도 했다. 일부 고등학교에서는 더욱 심했다. 과거엔 전 교과 시험을 치르던 학력고사 시기였다. 요즈음 대한민국의 초·중·고등학교에서는 국어, 영어, 수학 과목이 수능 시험에서 주요 과목이 되었다. 누가 아니라고 하겠는가? 연간 공부하는 이 과목의 수업 시간 비중을 봐도 알 수 있다.

수능 시험 치르는 과목 외는 배울 필요가 없는가?
초·중·고등학교의 기술 수업 시간은 얼마일까?
절대 평가하면 안 되는 이유가 무엇일까?

과거와 비교해 기술 수업 시간이 많이 줄었다고 궁금할 것이다. 수능 시험 위주의 고등학교 교육이 대세다. 지금 현직의 기술 교사 선배들의 책임이라면 할 말이 없다. 그래서 글로 전한다.

"내 할 일을 다 했는데 이 지경이 되었습니다.", "안타깝습니다.", "할 말이 없습니다." ….

기술의 중요성은 나날이 강조되고 있다. 대한민국의 미래가 걱정된다. 기술은 국가의 미래이다. 기술의 가치는 인간의 편리한 삶이요 행복한 삶을 누리는 것이다.

기술의 중요성을 안다면 대책은 무엇일까?

초심에서 열심으로

교사 발령이 난다. 기쁜 마음과 함께 "어떻게 가르치지" 걱정도 앞선다. 누구나 다 열정을 갖고 시작한다. 열정과 사랑을 지속하는 게 당연하지만, 초심을 지속하기가 쉽지는 않다.

일부 교사는 몇 년 지나면 틀에 박힌 수법에 빠지게 된다. 운동하는 선수들이 겪는 일종의 슬럼프와 비슷하다. 이를 잘 극복하는 게 당연하지만, 틀에 박힌 수법에 빠지는 문제도 있어 어쩔 수 없다. 학교생활이 항상 틀에 박힌 일정한 방식으로 생긴 습관이다.

교사들은 수업 준비와 수업, 행정업무에 정신없는 하루를 보낸다. 교과 교사는 즐거운 수업을 위해 준비를 철저히 하고 있다. 바빠서 소홀히 하면 수업 시간이 걱정되고 두렵다. 누구나 학교에서 행복하게 지내고 싶다.

"생각이 바뀌면 행동이 바뀌고, 행동이 바뀌면 습관이 바뀌며, 습관이 바뀌면 운명이 바뀐다."라고 윌리엄 제임스가 한 말이다. 교사의 습관이 매우 중요한 것임을 의미한다. 수업을 위해 철저히 준비하는 교사의 습관을 강조한다.

중·고등 학교는 교과별 차이가 크다. 대규모 학급의 학교는 기술과 가정을 분리하여 가르치기도 한다. 소규모 학급에선 혼자 기술·가정 교과를 담당하는 게 숙명이다. 3개 학년 교과목을 가르치고 수행평가하려면 정신없이 바쁘다. 기술·가정 교과목은 다른 수업 시간과는 차별화하는 수업을 준비하기 좋다. 경험을 모두 전하지 못하는 한계가 있지만, 일부라도 글로 전하고자 한다.

대학은 교육이론가의 배움이고, 학교는 교육실천가의 가르침이다. 대학에서 배운 것을 학교 교실에서 가르치면 좋으련만 교실 상황은 다르다. 임용고시에 합격한 새내기 교사들은 우수한 능력을 보유한 현재의 교육자이다. 새내기 교사는 웬만한 것은 다할 줄 안다고 하지만, 교직 처음 시작할 뿐이다.

내 초임 시절의 경험이다. 기술은 남학생만 배우던 시기다. 수업 시간 교과 내용, 전문적인 지식도 가르쳤다. 한 시간이 금방 지나간다. 학생들은 전문 지식을 습득해서 좋겠네! 생각했지만, 그게 아니라는 걸 이제야 깨닫는다. 경력이 쌓이면서 교과서의 내용 위주로 가르치게 된다. 고경력이 되면 핵심을 요약해서 다양한 이야깃거리를 추가해 가르쳤다. 내 경험이 이렇다는 것이다.

2. 기술 수업시간 사례 톡(Talk)

기술 수업 시간 수업과 평가, 수행 과정에서 경험한 사례 일부다. 학교의 기술 수업은 수능시험에 포함하여 시험 보는 교과목이 아니다. 따라서 일부 학생들은 기술 시간에 다른 교과목을 공부하는 학생도 있다. 과거엔 화내고 혼냈는데 지금은 전혀 그런 게 먹히지 않는다.

수업 시간에 방해하지 않으면 다행이다.

기술 시간에 실습하면 개인별로 하지만 팀별로 한다. 도구, 공구, 재료를 준비하여 동시에 시작하지만, 일부 학생은 무임승차를 한다. 개인별로 관찰하고 체크하고 수행 점수에 개인적인 활동에 반영한다. 협동심과 의사소통 능력향상이 중요하지만, 민원 몇 번 생기니 고민이 된다.

교사의 재량이 점점 줄고 있다. 수행평가 내용은 구체적으로 관찰하여 교과의 세부 특기사항으로 기록한다. 현실은 학생들의 장점만 기록하라니 교사의 신뢰도가 걱정이다.

기술과 메이커

기술 교사는 "기술 교과서를 가르치는 게 아니라, 기술 교과서로 가르치는 것"이라고 한다. 가르친다는 의미를 깊이 있게 표현한 말이다. 교과서 내용 위주에서 역량이 함양되도록 가르친다는 의미다. 기술 교사는 지식과 기능, 태도를 제대로 가르치는 교과이다. 특히 도구나 공구의 올바른 사용법을 제대로 알려주어야 하는 기능도 가르치는 게 당연하다.

요즘 학생들은 메이커 학습활동의 양극화가 정말 심하다. 가위질, 칼질, 자를 대고 선을 긋기 등 수준 차이가 매우 심하다. 메이커 활동에 대한 "만들기 수준을 어떻게 하지" 걱정하면서 수업할 수밖에 없다.

이를 자세하게 가르치다 보면, 만들기 활동에서 일부 학생들은 성취감이나 작품 수준이 당연히 떨어진다. 교과 지식도 연구 많이 해야 하고, 교과 기능도 잘 가르치려면서 메이커 활동 무엇을 할지 궁리한다. 문제해결 활동 과제도 수행하고 평가도 해야 한다.

첫 수업 시간에 학생들에게 질문하면서 시작한다.

“기술을 왜 배우지?”

“기술자 되려고요”

“그러면 수학 배우면 수학자 되니?” 묻는다.

모두가 “아니요”라고 한다. 그러면 “과학 배우면 과학자 되느냐고?” 묻고 또 질문한다. 마찬가지 대답을 한다.

수업 첫 시간에 이런 이야기를 주고받는다. 질문하고 상호작용한다. 계속 질문은 이어진다.

“대학생들이 어느 기업에 취직하길 바랄까?”

“왜”

“원한다고 취직이 되는가?”

“창업한다면 어떤 일 하고 싶은가?”

“나중에 커서 뭐 할래?”

“얼마의 돈을 벌고 싶으니?”

“네 꿈은 무엇이냐?”

다양한 질문을 수업 마칠 때까지 주고받는다.

궁금하면 물어보세요?

“궁금하면 질문해?”

“어떻게 기술 교사 되셨어요?”

기술을 왜 배우는지를 설명한다.

기술 교육은 현대 문명 사회를 살아가는 데 필요한 기술적 지식, 태도 및 능력을 길러 주기 위한 교육이다.

기술은 삶이다.

기술은 교양교육이다.

기술은 일상생활이다.

기술은 삶의 편리하게 하는 것이다.

기술은 발명이다.

기술은….

수업하며 질문을 받는다. 기술을 설명하면서 질문하고 상호 작용을 한다.

수업 시간 이야기를 시작한다.

기술교육과의 역사를 간단하게 설명한다. 우리나라 제3공화국 시절엔 공업화의 시대였다. 중공업과 화학공업을 육성하던 시절 이야기를 한다. 그리고 전국의 지방 국립대에 특성화 학과가 지정되어 충남대학교 기술교육과가 설립된 사실을 설명한다. 그때 생긴 오늘날의 카이스트 대덕 연구단지도 설명한다.

기술교육과는 1981년 충남대학교에 최초로 개설되었으며, 1992년에 한국교원대학교에 두 번째로 개설되었고, 2001년에 세한대학교에 세 번째로 개설된 사실을 설명한다. 그리고 2011년 공주대학교에 기술 가정교육과가 개설된 내용도 설명한다.

그리고 계속 질문하면서 수업한다.

“미래 꿈이 있느냐?”

“대기업에서 누가 신제품을 개발하고 발명품을 만드느냐.?”

항공우주 나로호 이야기를 한다.

“우주선 이런 제품은 누가 개발하고 제작하는가?”

“비행기, 헬리콥터, 자동차, 누가 만들까?”

“인공지능 시대의 제품은 누가 어떻게 만들까?”

그리고 에디슨, 스티브 잡스, 장영실, 세종대왕, 정약용 이야기를 한다. 요즘에 대기업들의 역사를 간단하게 이야기한다. 요즘 변화하는 세상의 메이커와 기술의 중요성을 강조한다. 한 시간이 금방 지나간다.

공부란 무엇인가??

공부(工夫, study)는 사전적 의미로 "학문이나 기술을 배우고 익히는 것"이다. 우리의 생활에서 모든 게 인격 형성에 도움이 되는 공부다. 삶에서 배우는 모든 게 인생 공부다. 한마디로 말하면 인생을 사는 것이 공부다. 공부는 모르는 것을 알려고 하는 행동이다.

삶은 곧 배움이고 배우고 익히면 전문가가 된다. 나에게 필요한 것을 배워서 전문직업을 선택하여 이 세상 사회에 한 사람으로 공동체에 기여하고, 경제적인 보상을 받아 가족의 생계를 유지하고, 자신의 만족과 인정받고 존중받는 자아를 실현하려고 공부한다.

기술(技術)의 사전적 의미는 "어떤 것을 잘 만들거나 고치거나 다루는 뛰어난 능력. 특히, 그것을 얻기 위해서는 오랜 수련·학습·연구 등이 필요한 것을 가리킨다."라고 제시하고 있다. 넓은 의미로는 "어떤 일을 전문적으로 할 수 있는 능력을 포괄하기도 한다."로 되어 있다. 기술은 더욱 편리한 삶과 따뜻한 인간 세상을 발전시키는 것이다.

앨빈 토플러(Alvin Toffler,1928~2016)는 “21세기 문맹인은 읽고 쓸 줄 모르는 사람이 아니라, 배운 것을 잊고, 새로운 것을 배울 수 없는 사람이다.”라고 말했다. 그뿐만 아니라 “한국의 학생들은 하루 15시간 이상 학교와 학원에서 미래에는 존재하지도 않을 지식과 직업을 위해 공부한다”라는 지적과 함께 제대로 배우고 공부하라, 새로운 지식을 학습하라는 미래의 메시지를 전했다.

‘아는 것이 힘’이요, 평생학습 시대이다. 평생 공부를 해야 하며, 배우면 알게 되고, 알게 되면 깨닫게 되는 것이다. “학문이나 기술을 배우고 익히는 것” 평생 하는 공부이다. 그래서 평생 공부라는 말이 오늘날 중요하므로 누구나 실천해야 한다.

인류는 처음에 필요해서 도구를 사용하여 호기심으로 만드는 활동을 했다. 만들기의 시작으로 기술이 발달하고 창의적인 사람이 새로운 제품을 만들었다. 수공업 시대가 되자 가정에서 간단한 만들기는 했다. 시대가 발달하면서 초보자, 전문가가 등장했다. 처음 만들기 하는 초보자가 행하는 만들기는 입문 과정에 해당하는 수준의 초보 메이커이다.

최근에는 아주 뛰어난 멋진 전문가 작품을 만든다. 진정한 메이커는 즐기며 새로운 것을 창조한다. 메이커는 분야별로 다양하며, 크게 둘로 구분하여 설명한다. 개인이 흥미를 느끼며 취미로 무엇인가 만드는 활동을 하는 일반 메이커와 제품을 만드는 제작 활동하는 분야의 전문 메이커로 나눌 수 있다. 흥미와 취미로 시작했던 메이커는 점점 새로운 아이디어를 생성시키면서 무엇인가 만드는 전문가로 발전한다.

만드는 과정 자체를 의미 있게 여기고 창조한 결과물에 대해 자부심과 자긍심을 가지며, 만족도가 높아지고 성취감을 가진다. 인류를 위대하게 만드는 자 그들을 모두 메이커라 부른다.

메이커 과정을 꾸준하게 지속해서 하는 메이커는 상품화에 관심을 두고 만드는 전문 메이커가 되는 과정으로 성장한다. 메이커 활동을 통해 멋진 새로운 제품을 만들고 창업할 수 있으며, 수입을 얻고 기업가정신을 함양하여 기업가로 성장하게 된다. 메이커는 다양한 기술을 활용하여 제품을 생산하는 생산자이며, 소비자인 프로슈머의 역할을 한다. 우리는 모두 메이커다.

기술 수업과 평가의 모든 것

교사는 매일 수업하는 삶이다.

수업은 업(業)이요, 의무이다. 수업의 의미는 학생에게 지식이나 기능을 가르쳐 주는 일이다. 학생들의 배움의 시기는 개인적으로 매우 중요하다. 청소년기 시기를 어떻게 보내느냐가 개인의 인생을 결정짓게 된다. 기본적인 올바른 인성과 기초 역량을 키워주는 게 학교 교사의 역할이다.

기술 교사는 기술 수업을 한다.

기술 수업은 다른 수업과는 다르다. 특히 강의식 수업은 비슷하지만, 실습이나 만들기를 많이 하는 과목이다. 기술 교사는 실습재료 준비하느라 다른 교과 교사보다 더욱 바쁘다.

미리 예산 계획하고, 재료 검색하여 준비하고 품의 올리려면 하루가 너무나 짧다. 또한 재료를 구한다고 다가 아니다. 교사가 미리 만들어 보고, 소요 시간을 알아보고 작동 여부 확인하려면 오래 걸리기도 한다.

과거엔 기술 수업 시간이 주당 4~5시간이었다.

요즈음에는 주당 1~2시간뿐이다. 지금 근무하는 학교는 학년당 1시간씩이다. 그러면 3년 동안 기술 가정 각각 1시간이다. 무엇을 제대로 만들 수 있을지 걱정하면서, 대부분 간단한 실습을 주로 하게 된다.

나는 건축 모형 제작과 수송 기술 자동차 제작에 PBL 수업 계획하고 추진했다. 최근 가정교사와 협의하여 평가 방법을 개선하고 100% 수행으로 평가한다. 처음엔 예산 부족과 다양한 평가로 인하여 힘들다고 한다. 평가하기가 번거롭고 힘들다고 했다. 그렇지만 교과 특성상 이렇게 하는 게 역량 함양이라고 설득했다.

수행평가는 기술 50%, 가정 50%로 하여 100% 수행으로만 한다. 세부 사항은 교과 내용을 가지고 각각 평가한다. 교사가 각자 알아서 하지만 협동하여 좋은 방법 찾아서 기준을 정해 평가한다. 만약 소규모 학교에서 혼자 교과를 담당해도 마찬가지일 것이다. 나도 가끔은 학교 가기 싫을 때도 있다. 그뿐만 아니라 문제 학생이 많은 학급 교실은 특히나 들어가기 싫다. 은근히 공휴일이었으면 하고 바라기도 했다. 다 인수 학급의 한 학년에 12반 수업을 매주 12번 설명할 때도 있었다. 실습하는 경우엔 반복적인 평가를 하는 경우도 많았다.

반복적인 실습으로 달인처럼 수업하는 때도 많다. 학교 행사로 수업이 빠지게 되면 시간 부족으로 다음번 수업하기 힘들 때도 많다. 실습이 좋을 때만 있는 건 아니다.

활동 중심 수업은 기본이요, 정석이다. 자유학기제, 자유학년제 모두 상관없지만 진도나 평가의 기준에서 협의를 잘해야 한다. 교사가 가르치고 평가하는 과정에서 평가 전문가로 세부 기준을 잘 준비해야 했다.

수업은 가르치며 배우는 것이다. 강의도 하며 적재적소에 적합하게 수업한다. 수업 방법 개선에 대한 방법으로 활동 중심 수업을 안내한다. 요즈음엔 프로젝트 학습 PBL(Project Based Learning)학습을 준비하여 활동 중심 수업을 강조한다. 프로젝트 학습(PBL)은 단원별, 학기별로 분석하고 재구조화하여 수업 설계한다.

단원 설정은 학생들의 활동 중심 수업을 계획한다. 교사가 창의적 문제 해결 능력을 함양시키도록 준비한다. 평가 방법은 과정 중심 평가이다. 수행평가의 다양화를 시도하고 채점 기준과 횟수를 조정한다. 만들기 활동으로 과정 중심 수행평가를 하면, NEIS에 점수를 항목별로 입력한다.

다 학년 담당하면 점수 입력이 쉬운 일이 아니다. 내 교과 내가 입력하는 게 당연하지만, 힘들다고 누구한테 하소연도 못 한다. 스트레스가 이만저만이 아니다. 교직은 이런 것이다. 내가 할 일을 내가 알아서 하는 것이다. 오죽하면 교직에 유행하는 각자도생이라는 말이 생겼다.

수행평가는 과정 중심 평가하고 최종 점수 확인하고 사인을 받는다. 남학생들은 점수에 크게 민감하지 않은데, 여학생들은 예민하게 여기는 학생이 와서 하소연하는 예도 있다. 이럴 땐 가장 잘한 작품을 보관하고서 이해시킨다. 학생이 수긍하면 다행이다.

수업은 기술이고 종합예술이다.

진짜 중요한 것은 의미 있는 수업이고 메이커를 경험하는 것이다. 특히 수행평가하는 메이커 활동은 재료와 제작 과정, 결과물에 대한 가치, 평가하는 기준을 생각하여 소요 시간을 파악하며 제대로 해봐야 한다. 완성된 제품은 수업 시간에 모형을 제시하여 설명하고, 시범을 보이며 설명하면서 이야기하면 시행착오를 줄일 수 있는 좋은 수업이 된다. 이 게 기술 수업의 정석이다.

교사는 학생들의 역량 함양을 위하여 수업을 올바르게 잘하는 게 중요하다. 수업을 잘하려면 연구해야 한다. 이게 교사의 업이다. 실습하는 과정 중심 평가는 교사의 설명과 시범 보여주기 및 안전 수칙을 강조한다. 수업 시간에 다치는 일이 많다. 기술 시간 만들기 수업의 맛과 멋은 흥미 있게 시작하고, 재미있게 체험하는 일이다. 메이커 활동 과정에서는 평가보다는 피드백이 중요하다. 교사의 적절한 개입과 격려가 수업 시간에 할 일이다. 교실을 순회하면서 교사가 할 일이다.

무엇을 만들까?
왜 만들까?
어떻게 평가하지?

기술 교사 수업 경험 제공한 내용이 정답은 절대 아니다. 단지 수업 내용을 이해하고 반면교사 이길 기대한다.

본시 수업 시간의 루틴은, 수업 시간 내용 설명하고, 시범을 보이고, 체험하고, 평가하는 일이다. 만들기 경우엔 미리 만들어 수업 시간 보여주며 내 경험을 이야기한다.

실습수업 시간에는 관찰 평가한다.

수업 중 평가하는 경우엔 반드시 항목별 개인별로 평가를 한다. 개인별 평가는 보고서 및 산출물 종합평가이다.

개인별 실습 보고서 평가 내용에 무엇을 작성하느냐가 성취 기준에 근거한 지식에 대한 평가이다. 만들기 최종 작품은 기능에 대한 평가이고, 협동과 정리 정돈 등은 태도에 대한 평가이다.

지금은 교과별 세부 특기 사항란에 기록하느라 관찰을 꼼꼼하게 한다. 수업 시간엔 학생들의 관찰 사실을 기록해 두느라, 수업보다 생활기록부의 기록 내용에 신경이 더 쓰인다.

학교생활기록부 문구

학교생활기록부는 학기별로 입력한다. 입력 예시 문구이다. 중학교 2학년 2학기의 수송 기술과 에너지 대단원의 교과별 세부 특기사항 입력 사항 문구의 사례이다.

> 수송 기술과 관련된 문제를 이해하고 실생활에서 발생하는 문제의 해결책을 창의적으로 탐색함. 전기자동차 만들기 설계도를 창의적으로 구상하여 표현하였고, 모형 작품을 정교하게 제작함. 수송 기술과 관련된 개념과 수송 수단의 안전한 이용 방법에 대해 과제(마인드맵 및 보고서)를 창의적으로 작성함. 제작 과정에서 발생하는 문제를 스스로 해결하여 노력함.
>
> 자동차 구조를 이해하고, 클레이 자동차 만들기 모형 작품을 정교하게 제작함. 수송 기술 발달 과정에 대한 개념을 이해하고, 자동차 제작 과정을 이해하고, 전기자동차를 만들고 보고서를 구체적으로 잘 작성하고 창의적으로 표현하여 완성함.

신재생 에너지의 활용 방안과 개발의 중요성을 분석하고, 수업에 적극적으로 참여함. 탐구 과제 에너지 이용 방법과 문제 해결 과제를 논리적이며 창의적으로 표현함.

수송 기술 시스템과 발달 과정에 대한 개념과 수송 수단의 안전한 이용 방법을 이해하고, 수송 수단의 안전한 이용 방법에 대해 과제(마인드맵 및 보고서)를 창의적으로 작성함.

전기자동차 모형 제작의 보고서 내용을 구체적으로 잘 정리하여 기록하고 창의적으로 작성함. 실습 과정 중 안전 수칙을 철저하게 준수하고, 전기자동차 모형 제작 실습 마무리와 정리 정돈을 잘함.

학교생활기록부 '교과 세부능력 및 특기사항'에서는 학생들의 특성을 구체적으로 기술한다. 학생들의 교과 특성은 교사가 교과 학습 평가 및 수업 과정에서 수시·상시로 관찰 기록한 내용을 중심으로 전 영역을 고려하여 종합적으로 기술한다.

도구의 활용과 기술

인간은 도구를 만들어 사용했다.

생활에 필요한 도구를 창조하고 생산했다. 도구와 기계의 활용, 전기와 컴퓨터 사용, 로봇과 인공지능(AI)의 발달로 더욱 편리해지고 있다. 기술의 발달과 발명품으로 세상을 빠르게 변화시킨다. 창의적인 인간, 문제를 해결하는 인재의 중요성이 강조된다.

새로운 도구를 왜 만들까?

도구와 공구의 사용 방법은?

기술의 발달 주인공은 누구일까?

인간은 호모사피엔스(Homosapiens)이고, 도구를 사용하여 생산하는 창조자 호모파베르(Homofaber)이다. 지혜와 이성과 지식을 갖춘 인간은 생각하는 능력, 문제 해결하는 능력이 중요해지고 있음을 다시 강조한다.

'하늘 아래 새로운 것은 없다.', '세상은 아는 만큼 보인다.'라는 말이 있다. 아는 만큼 지혜롭게 깨닫는다는 의미다. 눈에 보이는 사물을 잘 관찰하고, 생각하는 만큼 만들 수 있다고 해석할 수 있다.

손의 활용은 인간의 역사이다. 도구의 활용과 사용은 위대한 일이다. 여러 가지 도구를 사용하여 집, 자동차, 비행기도 만든다. 가구 제작에도 도구를 이용하여 만든다. 취미를 즐기는 삶을 사는데도 도구를 활용한다. 음식 재료를 가지고 음식을 만들고, 연필로 글을 써서 책을 만들지요. 물감으로 멋지게 표현하여 멋진 작품을 완성한다. 누구는 악기를 만들어 연주한다. 인간은 많은 것을 만들어 필요한 곳에 사용한다.

이런 도구를 만들고 사용하는 것은 인간의 본성이다. 누가 가르치고 어떻게 가르치는가를 공부라고 한다. 기술 교육은 이런 문제를 해결하는 시간이다. 그래서 도구를 사용하는 우리의 손은 위대한 것이다. 도구와 공구, 기계의 개발과 사용은 미래 교육이다, 도구를 사용하는 우리의 손은 인류의 미래이다.

다양한 과정 중심 평가

학교는 무엇 하는 곳인가?

지금의 학교에서 변해야 할 게 무엇인가?

무엇을 가르쳐야 할 것인가?

교육기관은 제대로 가르치고 평가하는 곳이다.

미래인재의 역량을 함양하려면 과정 중심 수행평가와 깊이 있는 학습을 해야 한다. 지식과 기능 태도를 함양하도록 잘 가르쳐 왔다. 깊이 있는 학습은 핵심역량 함양이고 교육의 본질적인 생각이다. 시험을 위한 교육이 아니라 역량을 함양하는 교육이다.

모든 게 변화하는 시대이다. 과거보다 기술의 중요성은 나날이 강조되고 있다. 기술의 중요성은 모두 다 안다. 학교에서 기술 교육도 변해야 한다. 도서 『나는 교육실천가』에 있는 기술 교육의 과정 중심 평가 내용을 다시 언급한다.

기술 교육은 어떻게 변해야 할까?

기술은 어떻게 가르쳐야 할까?

기술 수행평가 어떻게 할까?

기술 교사가 교과서에 나와 있는 것을 수행평가하는 경우가 많다. 당연하다. 실습해도 좋고 안 해도 어쩔 수 없다. 교사의 재량이다. 교과서와 약간 차이가 나는 기성 제품을 사용해도 좋다. 창의적인 작품을 위하여 다른 제품을 사용해도 좋다.

모두 다 잘하고 있는 현실이다. 실습한다는 자체가 칭찬받아야 할 사항이다. 교사가 수행평가하는 게 당연한데 칭찬이라니 생각할 것이다. 학교에서 수행평가는 중요하다. 그리고 수행평가 비중을 늘리는 학교도 많아지고 있다. 기술·가정 100% 수행평가하는 학교가 많아지고 있다.

수행평가하려면 과제해결을 위한 재료가 필요하다. 많은 교사가 예산이 부족하여 제대로 된 실습을 하기 어렵다고 걱정이 많다. 물가도 오르고 예산은 고정되고 마땅히 할 실습이 없다며 종이로 된 형태 위주의 실습을 하는 학교도 있다. 이 또한 기술 수행평가를 위한 방법이다.

기술 교육이 무엇일까?

중·고등학교 기술은 체험이고 경험이고 만들기 활동이다.

그동안 이것저것 만들기 실습 많이 했다. 과거 실습의 이야기를 한다. 좋은 경험, 나쁜 경험, 반면교사(反面教師)로 삼길 바란다.

기술 수행평가에 대하여 질문한다.

평가를 위한 실습인가?

흥미를 위한 실습인가?

지식과 역량을 함양하기 위한 실습인가?

예산이 없다고 종이로 메이커 실습해도 좋은 교육인가?

창작 제품 만드는 실습인가?

대부분 교과서 내용을 평가한다.

창의적인 수업과 수행평가를 시행하는 교사도 많다. 학교의 주어진 예산에 맞게 적절하게 평가한다. 기술 이론 수업도 해야 하고, 수행평가를 해야 하므로 교사의 고민이 많다. 개인별 실습을 마치면 작품을 평가했다. 각자 보고서를 작성하고, 발표시키고, 관찰 평가하며 특징을 생활기록부에 기록했다.

나는 기술·가정 교과서 한 권이지만 기술과 가정을 따로 분리하여 기술만 가르쳤다. 최근 수행평가 비중은 1·2·3학년 모두 100%로 수행 평가한다. 가정교사로부터 좋지 않은 인상도 있었지만, 어쩔 수 없이 기술 실습을 많이 했다.

누군가 교과서 내용은 언제 가르치나 생각할지도 모른다. 교과 내용도 수업하고 평가한다. 강의식으로 수업하고, 수업 내용을 정리하여 제출하도록 한다. 주로 사용하는 방법이 마인드맵이나 비주얼싱킹 방법으로 정리하게 한다. 이것 또한 수행평가에 점수로 반영한다. 이론 내용을 수업하고 정리하니, 이 또한 좋은 방법이라 생각하여 나름 이렇게 한다.

중단원이나 대단원을 마치면, 단원 정리 보고서를 제출하라고 한다, 개인별로 제출하고, 이것 또한 수행 점수에 반영한다. 점수의 차이는 A, B, C, D, E로 평가하고 5점, 4점, 3점, 2점, 1점으로 점수를 인정했다.

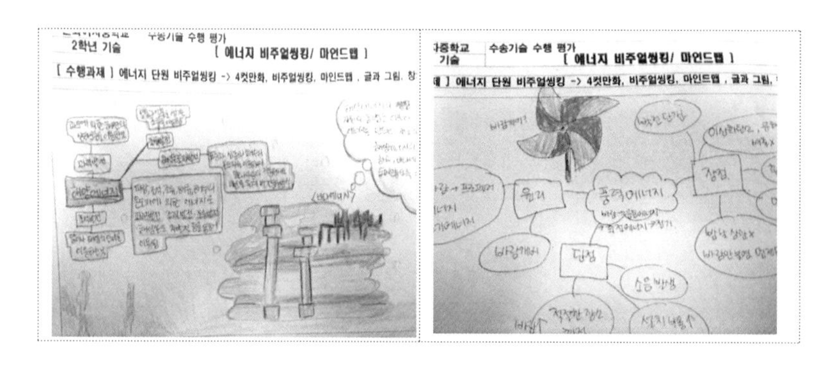

최근에는 2학년 주당 1시간 수업으로 건설기술단원 1학기에는 건축 모형 제작하고, 2학기에는 수송 기술 자동차 제작에 PBL 수업한다. 2~3학년 모두 수행평가로만 100% 실시한다.

수업 관련 공유하는 자료를 참고하길 바란다.

https://www.youtube.com/@user-ze9js6nz5t

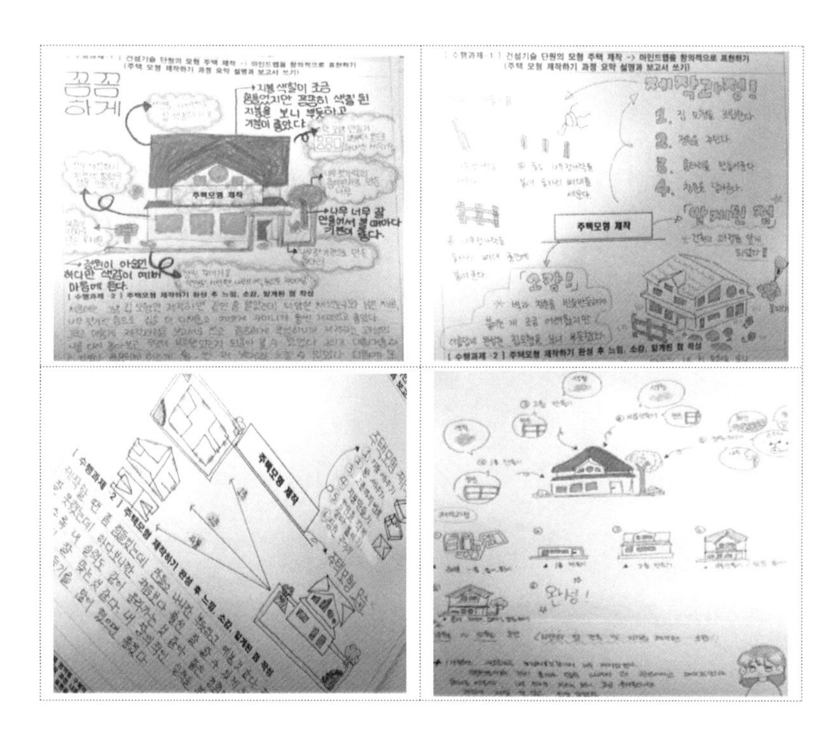

3. 기술 활동 중심 수업 사례

기술 첫 수업 시간의 사례이다. 기술에 대하여 설명하고, 창의적으로 표현하는 방법이다. 학습 정리는 마인드맵이나 비주얼싱킹을 실시했다. 자리 배치는 책상을 붙인 형태로 4명이 앉는다. 수업은 교사의 재량이 많으니 참고하길 바란다.

단원 : 기술의 의미와 기술의 분류
차시 : 2시간

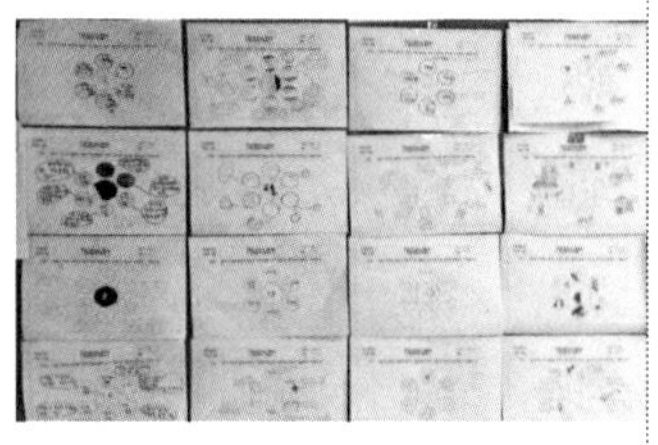

1차시 - 영상 보기, 교사 설명, 교과서 안내 등
2차시 - 비주얼싱킹 간단 설명 및 작성하기, 발표하기

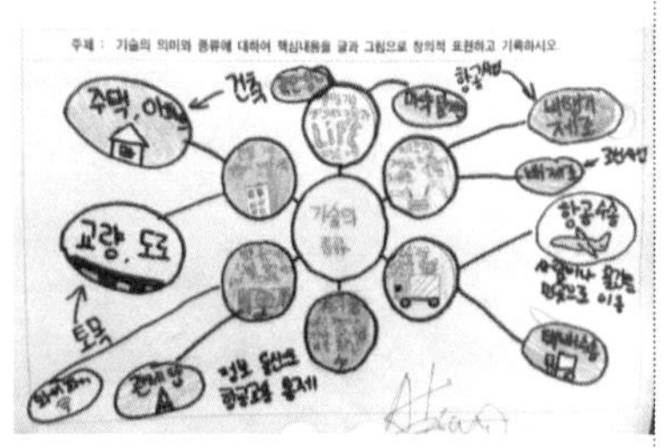

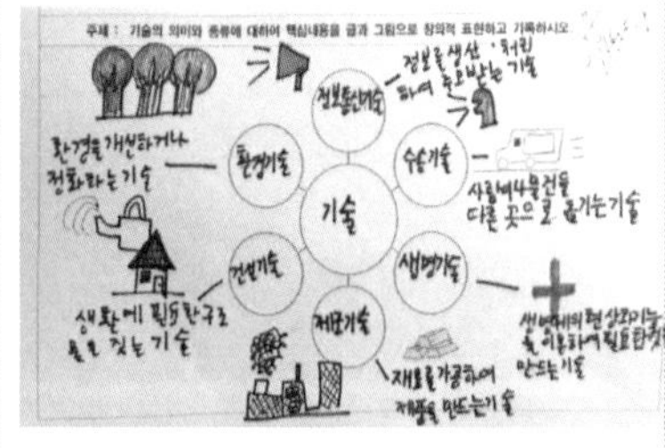

기술의 영역과 관련 및 기술의 발달과 미래 직업. 나의 하루 일과 관련하여 4컷 만화를 창의적으로 그리기다.

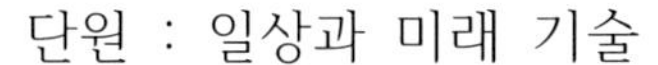
단원 : 일상과 미래 기술
차시 : 2시간

1차시 - 영상 보기, 교사 설명, 교과서 안내 등
2차시 -일상과 미래 기술 표현 및 발표하기

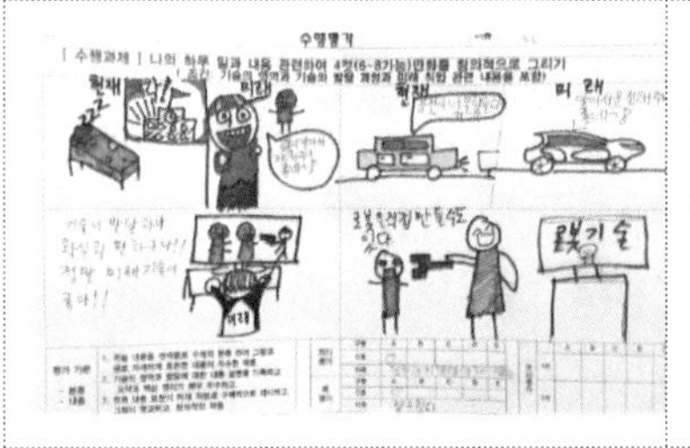

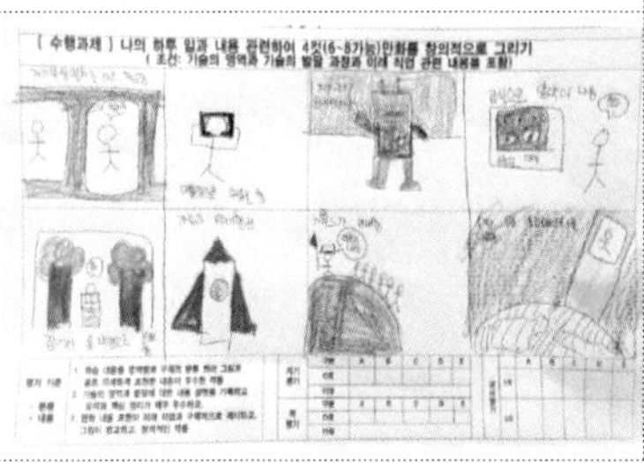

기술과 생활, 안전 수칙에 대한 픽토그램 표현하기

단원 : 기술과 안전
차시 : 2시간

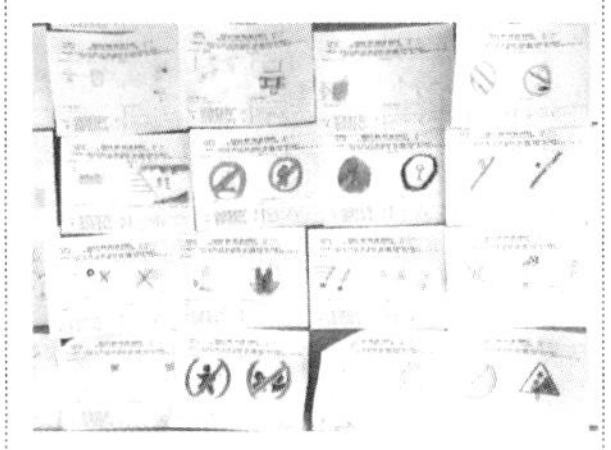

기술 시간 도면 그리기의 수업 과정이다.

단원 : 도면 그리기 교과서의 내용을 그리기

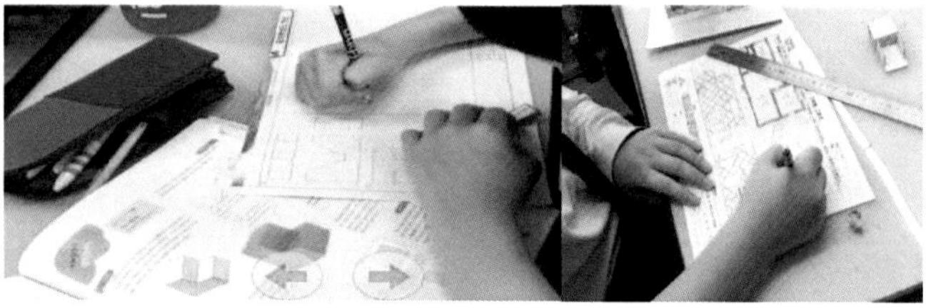

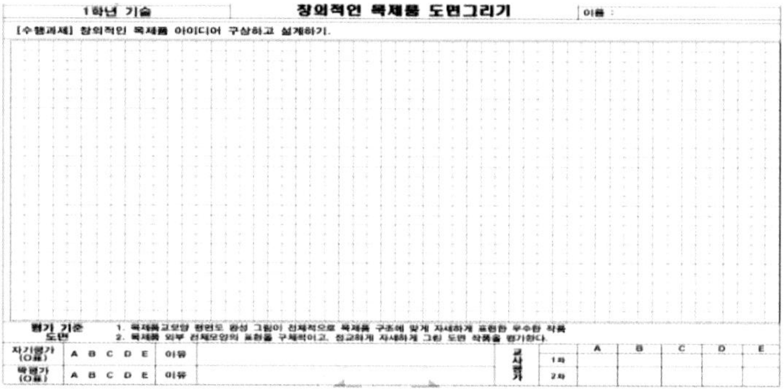

1학년 기술	창의적인 목제품 도면그리기	이름 :
[수행과제] 창의적인 목제품 아이디어 구상하고 설계하기.		

평가 기준 도면
1. 목제품고모양 평면도 완성 그림이 전체적으로 목제품 구조에 맞게 자세하게 표현한 우수한 작품
2. 목제품 외부 전체모양의 표현을 구체적이고, 정교하게 자세하게 그린 도면 작품을 평가한다.

			교사평가		A	B	C	D	E
자기평가 (O표)	A B C D E	이유		1차					
짝평가 (O표)	A B C D E	이유		2차					

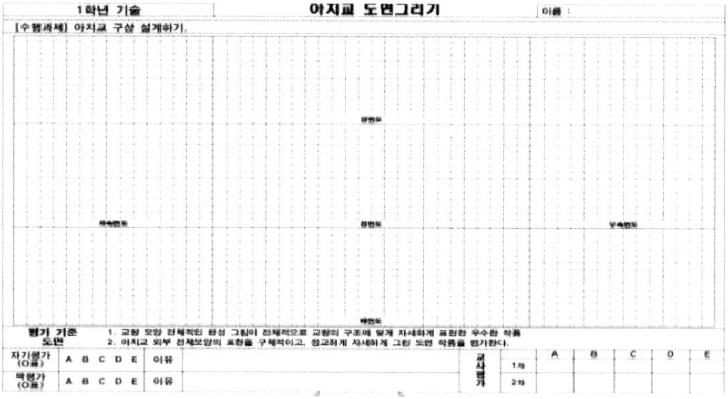

1학년 기술	아치교 도면그리기	이름 :
[수행과제] 아치교 구상 설계하기.		

평가 기준 도면
1. 교량 모양 전체적인 완성 그림이 전체적으로 교량의 구조에 맞게 자세하게 표현한 우수한 작품
2. 아치교 외부 전체모양의 표현을 구체적이고, 정교하게 자세하게 그린 도면 작품을 평가한다.

			교사평가		A	B	C	D	E
자기평가 (O표)	A B C D E	이유		1차					
짝평가 (O표)	A B C D E	이유		2차					

기술 시간 정면도, 평면도, 측면도 이해하려는 활동으로 큐브 만들기 수업을 했다.

큐브 만들기
1. 큐브 개인별로 나누어 주고 활용한다.
2. 큐브 맞추기 도면 그리기 활용하는 수업.

롤링 볼 장치 만들기 수업
1. 충분한 시간과 재료 및 팀원의 적절한 인원
2. 내용 설명과 영상 보기
3. 스케치하기 구상 시간 자르기 및 조립하는 시간
4. 테스트하려면 3~4시간 수업이다.

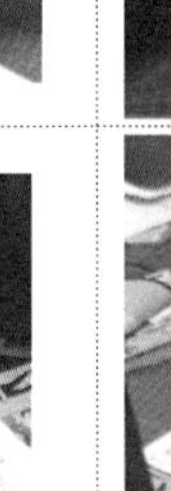

스케치업 건축 설계하기
1. 건축 설계에 적합한 스케치업 프로그램을 설치하고
2. 방법 설명, 개인별 건축 모형 설계하기 수업

단원 : 건설기술
건축 모형 만들기

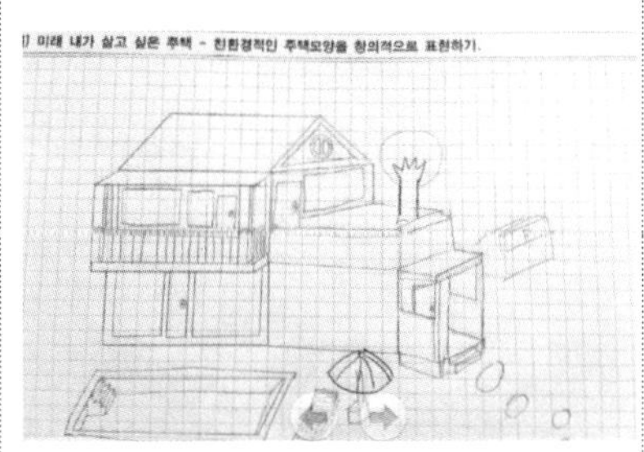

레고블록 활용한 건축 모형 만들기
창의적인 건축 모형 제작과 보고서 작성하기

나무젓가락 활용 투석기 만들기 수업

1. 투석기 설명 및 투석기 구상하기
2. 창의적인 투석기 제작하기
3. 투석기 대회 - 팀별 점수 확인하기
4. 투석기 제작 대회 보고서 작성하기

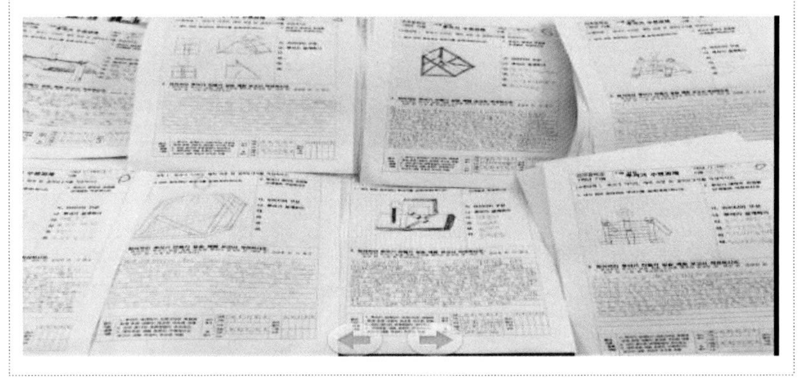

목공 제품 만들기

소음측정기 사용하기

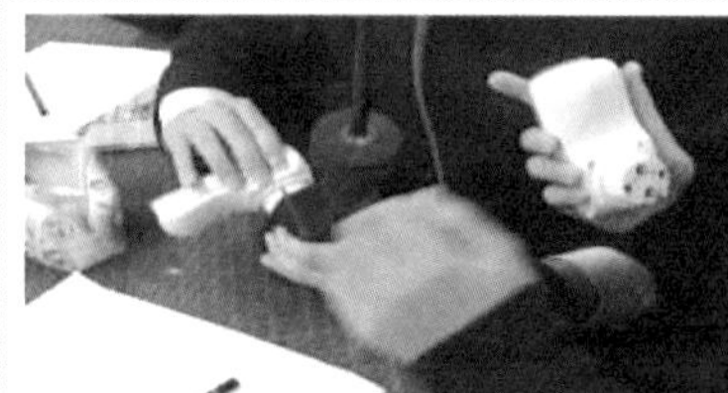
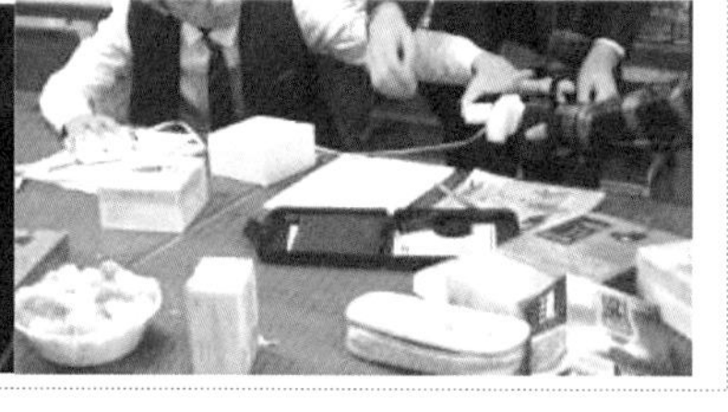

LED 전기배선 창작 디자인하기

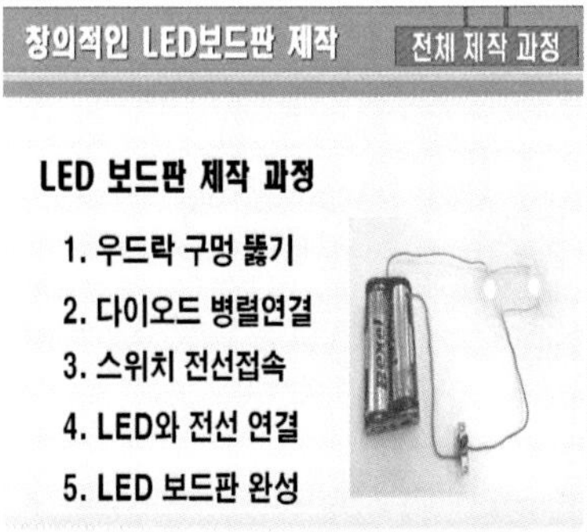
창의적인 LED보드판 제작
전체 제작 과정
LED 보드판 제작 과정
1. 우드락 구멍 뚫기
2. 다이오드 병렬연결
3. 스위치 전선접속
4. LED와 전선 연결
5. LED 보드판 완성

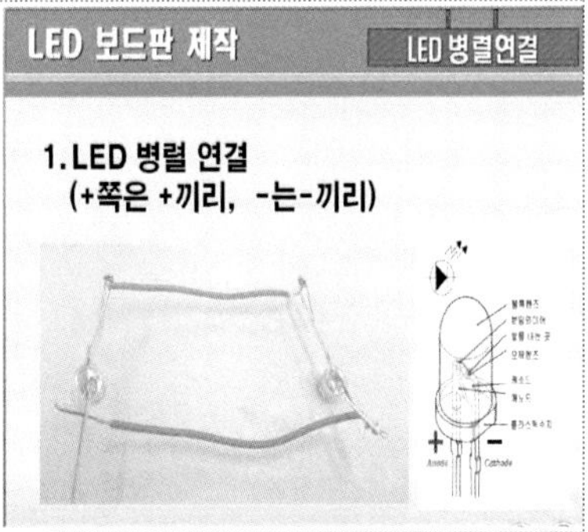
LED 보드판 제작
LED 병렬연결
1. LED 병렬 연결
(+쪽은 +끼리, -는-끼리)
+
-

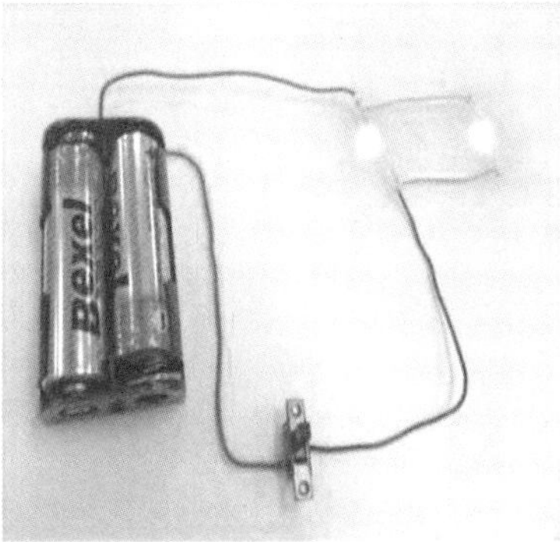
Bexel

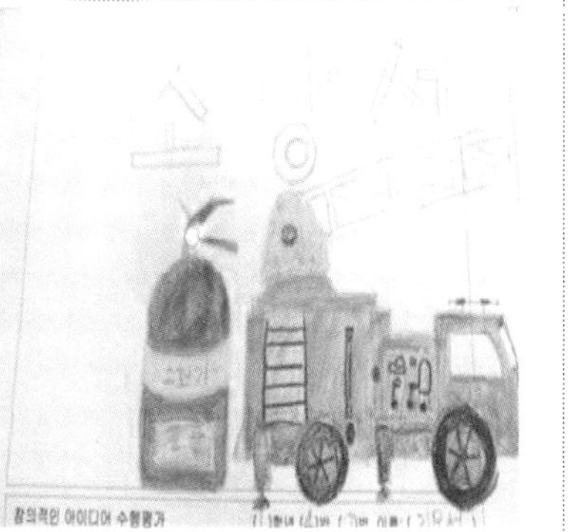
창의적인 아이디어 수행평가

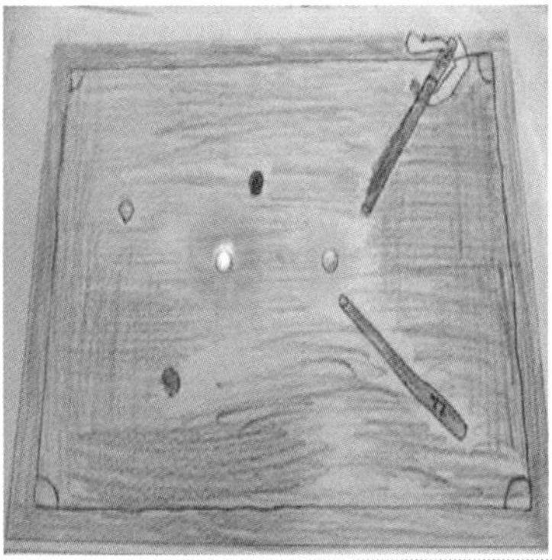

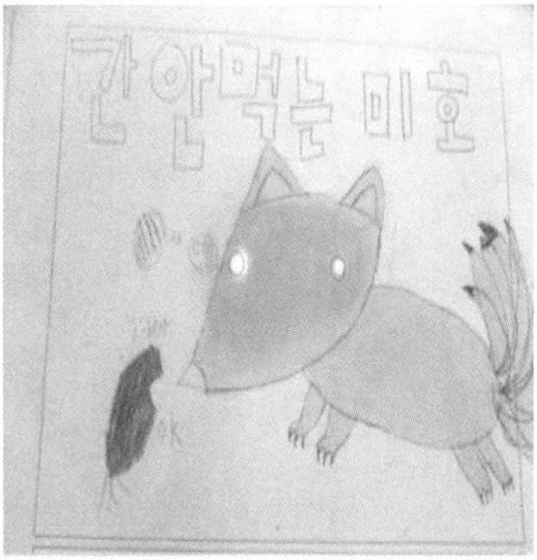
안먹는 미호

기술 관련 타이 포셔러니 표현하기

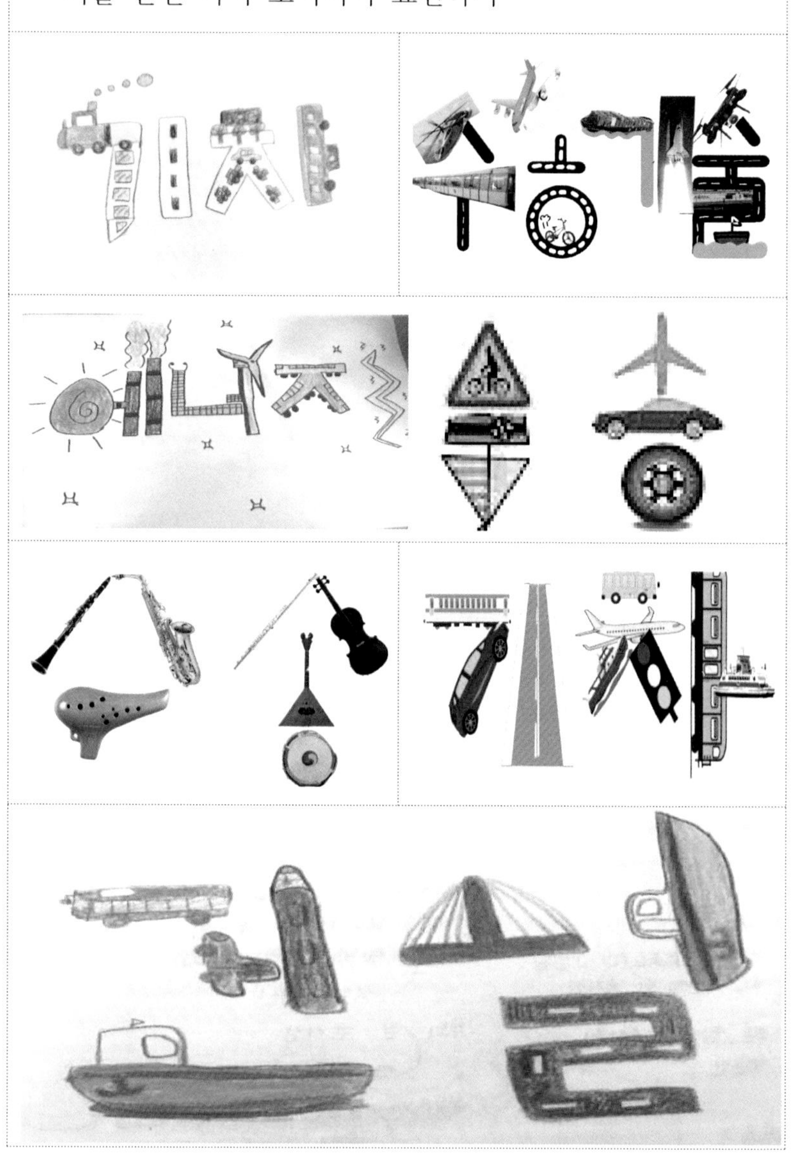

클레이 자동차 만들기 - 1시간 클레이 재료 - 개인별 1개, 자동차 만들기	

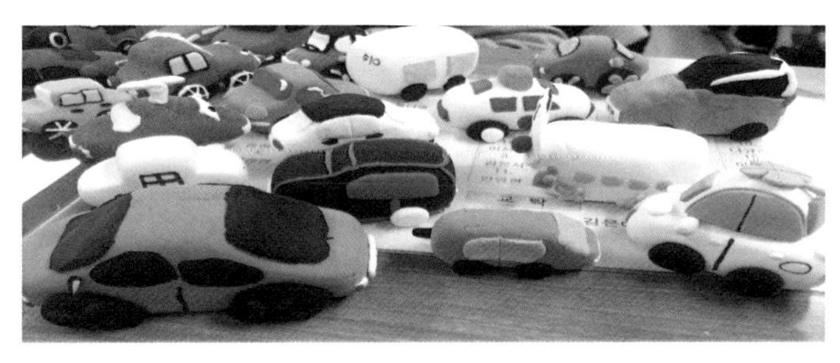	
종이 자동차 만들기 - 1시간 종이 오리고 붙이고 색칠하기	
	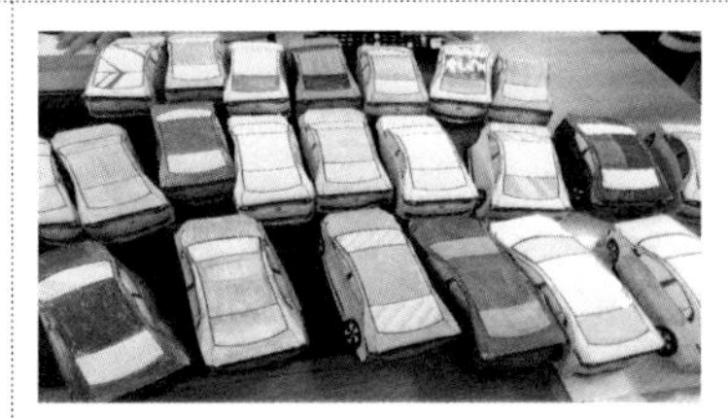

전기자동차 만들기 수업

1. 미래의 자동차 구상하기
2. 전기자동차 재료구매 및 제작하기
3. 제작 및 주행하기 완성하기
4. 보고서 작성하기

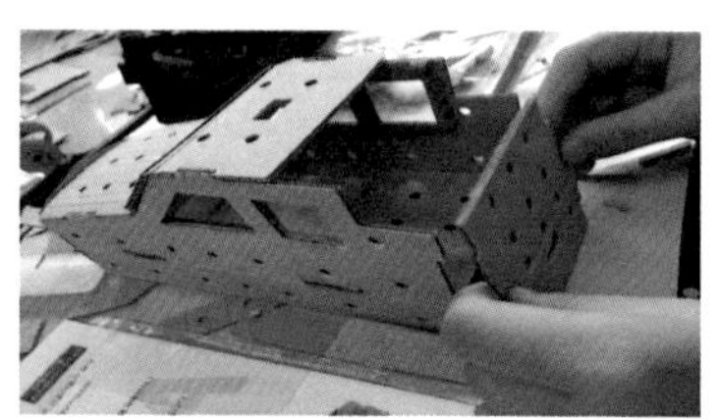
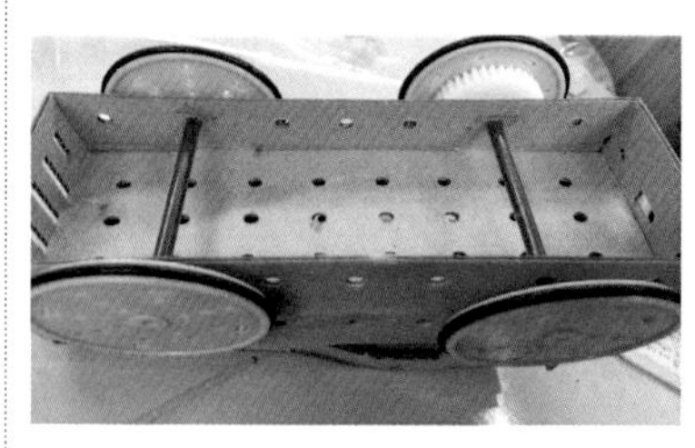

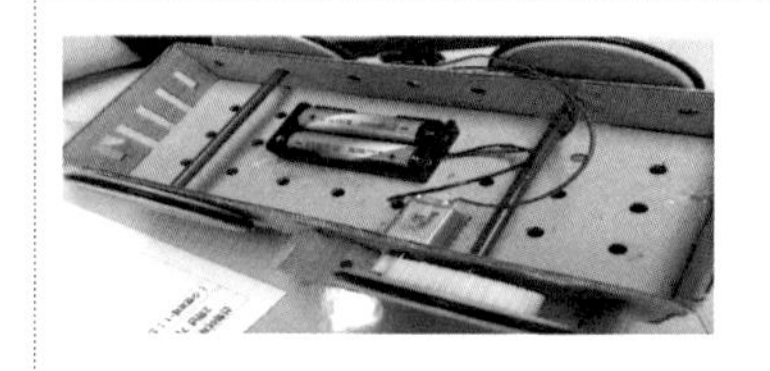

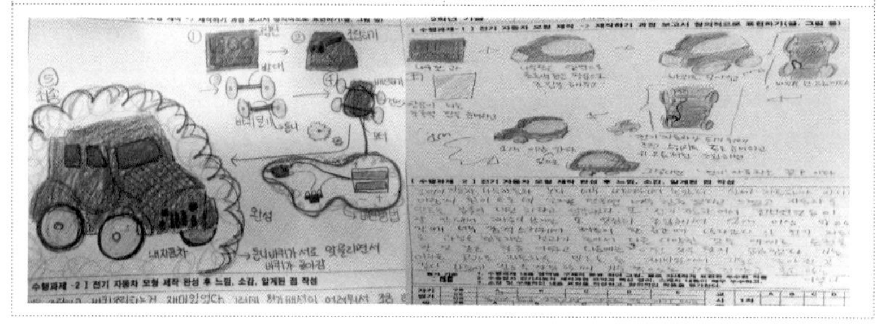

현대 미래 자동차 제작
1. 종이 자동차에 색칠하기, 앱 활용한 조종하기
2. 자율주행 자동차 제작하기

자동차 제작
1. 타미야 자동차 조립하기
2. 자동차 경주 대회 하기

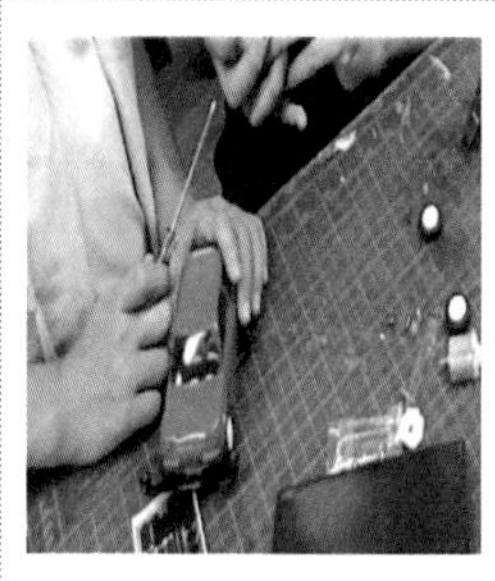

조종 축구 로봇 만들기

체험하는 기술은 신난다

만들기는 왜 할까?

만들기 실습하는 이유는 이론적인 지식을 실제로 경험하고 적용할 수 있는 것이다. 실제로 실습하면서 문제를 해결하고 작품을 만드는 과정을 통해 배우는 것이다. 실제적인 기술과 창의적으로 사고하는 창의적인 역량을 키우는 시간이다. 기술적 문제를 해결할 수 있는 능력이 중요하기 때문에 실습한다. 학생들이 수업 시간 어려움을 겪을 때 적절하게 알려주고 해결하도록 도와야 한다.

실습은 삶의 문제를 찾고, 자기 아이디어와 창의적인 해결방법을 적용해 보는 과정이다. 실습 시간은 함께 작업하고 아이디어를 공유하며, 의사소통 능력을 기르는 기회이다. 또한 자신의 관심사나 목표에 맞춰 프로젝트를 진행하고, 자기 능력을 발휘하는 시간이다. 이는 학생들의 자기 관리 능력과 독립적인 학습 능력을 향상하는 데 도움을 준다.

기술 시간에서 배우고 실습한 기술과 역량은 미래 다양한 직업 분야에서 유용하게 활용될 수 있다.

미래에 대비할 수 있는 경험과 역량을 갖추기를 바라며 실습하는 것이다. 실습 경험을 통해서 학생들은 개인의 능력을 발휘하고 성장할 수 있다. 물론 실수나 실패도 경험한다. 삶에서 도전과 성공을 경험하는 기회를 제공하는 시간이다.

실습하는 동안 안전은 제일이다.

사고가 발생하면 안타깝고 난감한 상황이 일어난다. 자칫하다간 다치는 큰 사고 발생한다. 미리미리 수시로 공구나 기계를 점검하고 실습 중 강조해도 부족한 게 안전이다. 그동안 사고 경험 이야기하기엔 지면이 부족할 정도이다.

기술 시간 실습은 학생들의 문제해결 능력과 창의성을 키워주는 시간이다. 즐겁고 재미있게 지내는 기술 실습은 의미 있고 미래 가치가 큰 중요한 시간이다. 똑똑한 기술을 사용하여, 따뜻한 세상을 만드는 기본적인 인성과 창의성을 배양하는 시간이다. 기술은 세상을 변화시킨다.

이런 교사가 좋구나!

난 교사는
어려움 극복하고 지위를 추구하는 교사
노력하고 승진 추구하는 잘난 교사,

든 교사는
학문을 탐구하며 학식이 풍부한 교사
세상일 관심보다 진리 탐구로 지내는 교사,

된 교사는
인격 형성을 우선으로 생각하는 교사
정직과 성실, 겸손과 예의로 본보기 되는 교사,

난 교사 든 교사 된 교사 다 좋지만
똑똑한 교사보다 따뜻한 교사
타인을 인정하고 존경하는 홍익인간 교사
이런 교사가 더 좋더라.

축복 / 37.7X45.2 /Acrylic on canvas
그림 김종숙

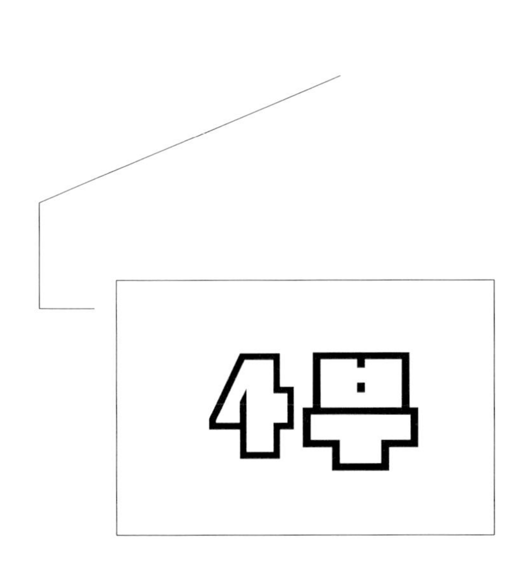
4부

행복한 세상을 위한
교사의 길

4부. 행복한 세상~ 기술 교사의 길

학교에서 기술 교육은 왜 하는가?

무엇을 어떻게 가르치는가?

과학기술은 국가의 미래를 이끄는 원동력이다. 기술 교육은 미래 사회의 변화에 대응하는 교육이다. 새로운 기술 지식을 배우는 것보다 변화하는 기술에 적응하고, 이를 활용하며 기술의 변화를 설계할 수 있는 능력을 키우는 것이다.

학교 기술 교육은 지필평가와 과정 중심 평가 비율의 편차가 있으며, 수행평가 과정의 질적 차이가 있다. 기술 영역과 가정영역이 따로 있어, 교원 수급 문제, 교과의 통합 시수 배분 등의 교육과정 운영 및 교원 인사 문제로 인해 문제가 많다.

"교육의 질은 교사의 질을 넘을 수 없다"라는 말이 있다.

그렇다면 "기술 교육의 질은 기술 교사의 질을 넘을 수 없다"로 바꿔본다. "기술 교육의 환경과 기술 교육 제도는 누구에게 달려 있을까?"

1. 교사는 유비무환이다

미래의 기술실은 크게 변화될 것이다. 향후의 기술실은 스마트 교실로 전자칠판, AR/VR, 홀로그램, 인공지능 등 첨단 도구와 공구가 갖추어진 안전한 공간이 기대된다. 미래 기술실은 학생들에게 새로운 메이커 학습 경험을 제공해 줄 것이다. 인공지능(AI)이 발전하더라도 교사를 완전히 대체하거나 학교가 없어지지는 않을 것이다.

과거나 현재나 미래에는 인간의 본분은 변하지 않는다. 미래 변화가 어떻게 이뤄지는가에 대한 상상과 문제 해결 능력이다. 기술적 문제를 발견하고 해결할 수 있는 능력이 중요하다. 학생들이 기술적인 어려움을 겪을 때 적절한 지원을 제공하여 문제를 해결하도록 도와야 한다.

기술 교사는 학생들의 미래에 필요한 기술을 습득하고 적용할 수 있는 실습엔 안전이 제일이다. 기술실 관리, 도구와 공구의 준비, 재료 준비, 예산, 동아리 활동, 수업과 평가, 교내 전시회 준비 등 경험을 안내한다.

교사의 행복이다

시작종 칠 때
들어갈 교실이 있다는 게

수업할 때
의미와 가치를 나누는 게

함께할 때
즐거움과 만족이 느껴지는 게

마치는 종 칠 때
아쉬움에 즐거움이 교차하는 게

교실 나올 때
보람과 만족을 느끼는 게

늘 반복하는 게
교사의 행복이다.

기술실 관리는 철저하게 한다

현재 중·고등학교엔 기술가정실이 있다.

기술실이 있다면 행복한 기술 교사다. 모든 수업을 실습실에서 하면 편리한 점이 많다, 컴퓨터의 파일과 교구재의 준비가 한 번으로 끝난다. 단지 학생들이 미리 실습실로 가면 장난을 치거나 여러 가지 기계나 도구를 미리 사용하므로 관리와 안전이 제일이다. 특히 실습에선 전기 안전에 주의해야 한다. 실습하고 난 후의 쓰레기 처리도 철저하게 해야 한다, 물론 모든 실습을 마치고 정리해도 상관없다. 그때그때 하는 게 원칙이다. 단 실습 후 남은 재료의 보관도 잘해 두어야 한다.

공구와 도구의 관리는 당연하다.

어쩌다 한번 실습하면 뒷정리에 정신이 없다. 따라서 수업시간엔 관찰하고, 수업 마치면 정리 정돈도 수행평가에 반영한다. 봉사하는 학생을 두고 봉사 시간도 주면 학생과 관계도 좋아지고 깨끗하게 관리할 수 있다. 경험에 의하면 매 수업시간에 정리 정돈 안 하면, 늘 지저분한 실습실이 된다.

수업 준비는 철저하게 한다.

도구와 공구의 보관 철저히 해야 분실도 적다. 칼, 가위, 자, 연필, 풀, 딱풀, 목공용 풀 연필 깎기, 지우개, 글루건, 글루건 심, 건전지, 제도지 등 항목이 너무 많다.

실습하면 각종 재료의 여분 보관도 중요하다. 쓰레기 분리수거 마찬가지다. 기계나 공구의 관리는 더욱 철저히 한다. 기계 부품이나 소모품은 미리 준비해둔다. 예를 들면 가는 실톱 톱날 여분 충분하게 준비한다. 학생들이 수업 시간에 종종 부러진다.

요즘 초등학교 저학년 교실에선 칼과 가위는 가정과 학교에서 필수 도구인데, 함부로 사용하면 다친다고 사용하지 않는다.

공구나 도구 사용법을 잘 가르치고 익혀야 한다. 과거엔 학생들이 대부분 연필을 커터칼로 깎아서 사용했다. 요즘 학생들 궁금하다. 학생들은 도구와 공부의 사용 경험이 거의 없다. 이유는 다친다고 유치원 초등학교에서 사용하지 않는다, 특히 가정에서는 사과는 잘 깎을지 궁금하다.

연필 깎는 방법이나 알까?

공구 도구를 사용을 잘하는 학생이 있을까?

기술 동아리 활동은 전문성이다

기술 동아리는 다양한 내용을 운영할 수 있다.

여러 가지 공구와 도구를 맘껏 사용하여 전문성을 발휘하는 시간이다. 과거엔 목공 반, 자동차 반, 로봇 반을 운영했다. RC 자동차 제작하기, 목공 교실, 전통 한옥 만들기, 움직이는 기계 장치 오토마타 만들기, 천연비누 만들기, 전자 교실 운영, 로봇 및 전기화로 제작하기 등이다. 그리고 부천에 있는 한국 영상진흥원의 만화 박물관, 로봇 박물관 견학 활동도 했다.

학교에서 방과 후 동아리 활동은 선택이지만, 지방자치단체의 학생동아리 공모에 선정되면 예산을 지원받는다.

충분한 예산으로 교육하기에 동아리 담당 교사는 맘껏 운영할 수 있다. 담당 교사와 동아리 학생은 배워서 좋고, 학교엔 예산이 지원되고, 지방자치단체 모두 좋은 교육이다.

교내 전시는 자랑거리다

평소에 만들거나 동아리 활동에서 만든 좋은 작품은 학교의 축제 기간이나 전시회에 자랑한다.

2012년 근무하던 중학교에서 비즈쿨(business school) 시범학교 3년간을 운영할 때 일이다. 매년 보고서를 작성하고, 중간 점검이 있었으며, 외부 강사 초청 강연, 동아리 활동을 했다. 매년 전국 비즈쿨 운영학교 축제(당시 한국 코엑스, 잡스쿨에서 실시) 준비 및 전시 준비 당일 참석 및 설치 부스의 철거 등 힘들었지만 지나고 나지 좋은 추억이고 평생 교사 생활의 자랑거리다. 참여하는 학생에겐 선물과 간식 등 혜택이 주어지고, 버스 전세 및 품의 등 이루 헤아릴 수 없이 많은 행사 준비했다. 이 일을 3년 하고 나니 경험은 가치가 매우 크다.

"경험이 인생의 스승이다."를 실감한다. 시범학교 운영하는 교직 경험이 많으면 두려움이 없고, 모든 게 자신감으로 꽉 찬다. 교직은 다양한 경험을 해봐야 자랑스럽게 만족한다.

학교 행사엔 기술 시간 평소 좋은 작품은 잘 보관한다.

교내 전시회에서 우수작품과 우수 학생에게는 만들기 재료를 주거나 시상했다. 전시 부스운영과 체험 부스는 늘 인기 있는 부스가 되고 즐거운 체험의 날이 된다.

메이커 체험과 견학은 경험이요 오래 기억된다.

실습은 안전이 제일이다

기술 수업 시간은 안전이 제일이다.

기술 수행평가 성적 잘 받으려고 노력하는 것은 가상하지만 다치면 곤란하다. 수업 시간에 부주의로 사고가 발생하면 다친 학생이 안타깝다. 학생에겐 정신적 물질적 피해가 연계된다. 보건실로 달려가 간단하게 치료가 된다면 다행이다.

커터칼로 아이스크림 막대나 나무젓가락으로 건축 모형을 만들고자 작게 자를 때 다친 경험이 많다. 지금은 가는 실톱을 준비하여 사용해서 다치는 일은 없다.

만약 크게 다치면 병원에 데리고 가야 한다. 부모에 연락하고 안심시키고, 학생도 안전하게 병원으로 이동시키거나 119를 부른다. 이때는 하늘이 노랗게 변한다. 그동안 이런 경험을 여러 번 했다. 학생이 무사하기를 바랄 뿐이다. 안전공제회 신청도 하며, 일이 점점 커진다. 특히 동아리 활동에서 외부로 나갈 때 사고 나면 더욱 힘들다. 안전을 다시 강조한다.

강조한다. 안전이 제일이다.

도구나 공구, 기계는 제대로 사용하면 편리하게 사용할 수 있다. 그렇지만 실습 중에는 사고가 발생한다. 일부 교사는 공구나 기계를 사용하지 않는 기본적인 실습을 골라서 하기도 한다.

가끔 톱을 사용하다가 다치거나, 글루건으로 조립하다가 글루건심에 의해 화상을 입기도 했다. 이땐 수업이고 뭐고 학생을 나무랄 수도 없고 그냥 간단한 상처이길 바랄 뿐이다. 이루 말할 수 없는 사고가 자주 발생했다.

안전교육은 교육일 뿐, 실습하면 다치는 학생이 발생한다. 학생이 다치면 학교 안전공제회를 많이 이용하느라 더욱더 바쁘게 지낸다.

안전이 제일이다.

자세한 사항은 도서 『교육실천가』 참고하기를 바라며, 『교육실천가 3』에 구체적으로 기록하고자 준비한다.

교사는 배우며 가르치는 학생이다

천재 물리학자 아인슈타인은 교육이란 '학교에서 배운 것을 모두 잊어버린 후에도 남는 그 무엇'이라고 말했다. 미래 교육에는 '그 무엇'이 중요하다. 경험은 사라지지 않는다. 경험의 중요성을 강조하는 말이다. 기술은 체험하는 교육이다. 학생들에게 활동 중심의 수업으로 창의성과 인성 역량을 함양하는 가치를 키우는 시간이다.

교사는 함께 배우고 성장하는 수업 나눔 문화가 중요하다. 교사의 경험을 나누는 활동을 통해 교사 전문성 또한 함께 신장할 수 있다. 교사의 자발적인 사례 나눔을 바란다. 그 때문에 이 글을 작성하고 있다. 물론 수업 방향과 교사의 역할에 정석도 아니며, 정답이 될 수는 없다. 단지 경험을 나열한 내용이다.

교사의 일상은 수업의 연속이다. 하루, 일주일, 한 달, 일년, 수십 년 교직 생애 기간 반복한다. 교사는 이 일을 평생하는 일신우일신(日新又日新)의 삶이다.

미래 교육의 패러다임은 어떻게 바뀔까?

교사도 지치고 힘들 때 기대고 싶은 곳이 있다.

교사 혼자 고민하지 말자. "혼자 가면 빨리 가지만 함께하면 멀리 간다"라는 말이 있다. 수업 친구, 동 학년 교사, 전문적 학습공동체가 함께 협력하는 것이다. 교사는 더욱더 성장하고 성숙한 교사가 된다. 함께 협력하는 수업 문화를 위해 모이자. 같이 하면 가치가 크다. 교사도 학생도 행복한 학교를 만들려면 함께 하는 게 제일이다.

교사의 일상은 수업의 연속이다.

하루, 일주일, 한 달, 일 년, 수십 년 교직 생애 기간 내내 반복하는 삶이다. 학교에서 학생과 함께 즐겁고 행복한 교사 되길 소망하며, 교육 현장에 이바지할 수 있기를 바라며, 이 글을 바칩니다.

교육의 궁극적인 목표는 예나 지금이나 명확하다. 개인이 가진 고유한 잠재력을 극대화하는 것이다. 교육은 옳고 그름을 가르치는 거다. 학교는 원하는 것을 모두 가르치거나 도와줄 수 없다.

교사의 삶이란 무엇인가?

공부해서 남 준다는 말도 있다. 이는 교사의 삶이다. 교사는 배워야 산다. 교사는 평생 교육해야 즐겁다. 교사는 Tipper이다. 교사는 부지런히 배우고 익혀서 학생들에게 가르치는 사명을 가지고 지낸다. 자랑스럽고 보람 있는 일이다.

더 중요한 것은 소명의식(召命意識)이다. 신규교사의 초심에서 출발하는 업이다. 양심을 가지고 열심히 하면서 합심하는 일이다. 스스로 중심을 잡고 하는 소명의식이다.

교사의 삶은 다람쥐 쳇바퀴 삶이다. 수십 년 하면 수업의 달인이 되는 것이다. 교직 생활은 힘든 길이지만 만족과 보람이 함께하는 삶이다.

수업의 달인은 내공이 쌓인 교사다.

공부하는 교사

공부! 참 좋은 말이다.
공부! 이는 듣기만 하여도 가슴 설레는 말이다.
공부! 세상에 배울 게 많다는 사실을 아는 일이다.
공부하면 할수록 어떻게 될까?
'왜 이렇게 모르는 게 많지'를 생각하게 된다.
공부하지 않으면?
내가 부족하다는 사실조차도 깨닫지 못한다.

교사는 가르치는 직업 이전에 공부하는 직업이다.
지금 되돌아보니, 이제는 말할 수 있다.
학교는 함께하는 곳이다.
함께 배우는 곳이며, 함께 나누는 곳이며,
함께 성찰하는 곳이며, 함께 성장하는 곳이다.
교사는 무엇을 하는가?
열심히 공부해서 잘 가르치는 것이 업이고,
또 하나는 학생들을 사랑하는 것이다.
모두 행복하게.

진정한 공부 목적이다

어릴 때 공부는?

모르니까 알려고 공부한다. 호기심과 궁금증이다.

학창 시절 공부는?

상급학교 진학하려고 공부한다. 현재 하는 시험공부다.

커가면서 공부는?

직업을 선택하려고 공부한다. 생계유지를 위한 공부다.

지금의 공부는?

전문 지식과 기술을 쌓으려고 공부한다.

이제부터 공부는?

정신적인 공부다. 인생 공부이다.

사회 기여와 자아실현의 공부다.

미래 교사는 지도하고 조언하는 사람(mentor)이다. 지식을 전달하는 교사(teacher)다. 궁금하면 탐구하는 자세를 가르치는 거다. 학습이 왜 필요한지를 깨닫게 해주고 스스로 학습하는 방법을 코칭 해주는 사람이다.

왜 공부하는지?

어떻게 문제를 발견하는지?

공부는 인간의 업(業)이다. Learning by Doing은 행함이다. 경험을 통해 배운다는 의미다. 삶에서 모르면 질문하고, 터득하고 배우는 것이다. 배운다는 건 성장하는 것을 의미한다. 공부는 배우고 행함이라는 의미를 포함한다. 일상에서 공부하는 게 앎이요, 삶이요, 행함이다.

Learning by Doing

아인슈타인이 남긴 유명한 말이다.

"모든 사람은 천재다. 하지만 만약 당신이 물고기를 나무 오르는 능력으로 평가한다면, 그 물고기는 평생 자신이 바보라고 믿으며 살 것이다."라고 했다.

자신의 재능을 찾아 노력해야만 한다. 지식과 기술도 변화한다. 새로운 지식, 새로운 기술이 쏟아질 것이다. 늘 새로운 것을 배우고 받아들이려는 자세가 필요하다.

인재상은 고정불변이 아니라 시대에 따라 변한다.

OECD 학습 나침반 2030

경제협력개발기구인 OECD는 2019년 학습자를 중심에 놓고 학습의 개념적 틀을 규정하고자 하는 ‘OECD 학습 나침반 2030(OECD Learning Compass 2030)’을 발표했다. [5]

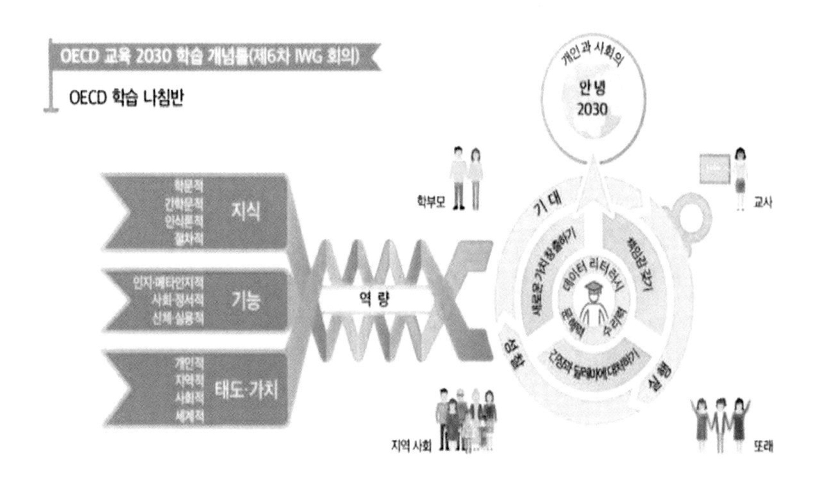

위 그림에서 제시한 학습 프레임워크는

미래 사회를 살아갈 개인이 갖추어야 할 주요 ‘변혁적 역량(transformative competencies)’을 강조하고 있다.

---

5) 서울교육 OECD 교육 2030 : 미래 교육과 역량
https://webzine-serii.re.kr/oecd-교육-20301-미래-교육과-역량/

학습자에게 중요한 역량으로 세 가지 변혁적 역량 3가지이다. 주요 역량으로 지향점인 변혁적 역량(Transformative Competencies)을 새로운 가치 창조하기(Creating New Value), 긴장과 딜레마에 대처하기(Reconciling Tensions & Dilemmas), 책임감 갖기(Taking Responsibility) 등의 세 가지를 포함하는 것으로 제시하고 있다.

2030년대의 새로운 사회에서는 새로운 가치를 창조할 수 있는 역량, 즉 창의적인 아이디어를 통한 경제활동과 새로운 생활방식, 사회적 모델 등을 개발할 수 있는 능력을 강조한 것으로 볼 수 있다.[6]

학교는 무엇을 가르쳐야 할까?
학교에서 어떻게 가르쳐야 할까?
학교에서 왜 가르쳐야 할까?

---

6) 한국 교육신문
https://www.hangyo.com/news/article.html?no=97869

21세기형 학습 역량 모델인 사회정서 학습 SEL모델(Social and Emotional Learning, SEL)을 제시했다.

사회정서 학습모델의 21세기 3대 Skill은

① 학습자들이 일상에서 핵심기술을 어떻게 적용할지를 의미하는 '기초문해'

② 어떻게 복잡한 도전 상황에 대처하는지를 의미하는 '역량'

③ 변화하는 환경에 어떻게 대처해야 하는지를 보여주는 '인성 자질'로 구성되어 있다.[7]

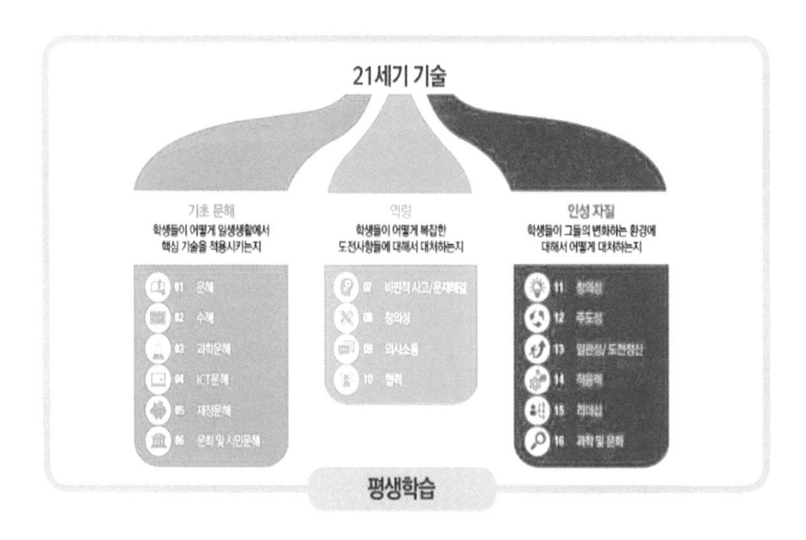

7) 교육부 블로그 4차 산업혁명 시대의 평생교육
https://if-blog.tistory.com/8283

4차 산업혁명 시대의 인재는 창의적인 융합인재이다. 일상에서 말하기. 듣기, 쓰기의 문해력이 기본인 시대이다. 창의력과 공감하고 경청하는 자세와 인성 자질이 강조된다.

4차 산업혁명 시대에 유망한 한 분야를 정하고 그 분야의 전문가가 되는 것이다.

영국의 생물학자이자 지질학자인 찰스 다윈(Charles Robert Darwin, 1809~1882)은 진화론을 내세운 것으로 유명하다. 명언 "살아남는 종은 가장 강한 종도, 똑똑한 종도 아닌, 변화에 적응하는 종이다."라고 했다. 변화가 빠른 시기에는 강한 자보다는 변화에 빨리 잘 적응하는 자가 살아남는다.

교육엔 정답은 없다.

미래인재는 역량이 중요하다.

미래를 이끌 인재의 4C(Communication, Collaboration, Critical Thinking, Creativity)역량을 함양하는 게 중요하다.

홍익인간은 우리나라 교육이념이다

대한민국 교육기본법

제2조(교육이념) 교육은 홍익인간(弘益人間)의 이념 아래 모든 국민으로 하여금 인격을 도야(陶冶)하고 자주적 생활 능력과 민주시민으로서 필요한 자질을 갖추게 함으로써 인간다운 삶을 영위하게 하고 민주국가의 발전과 인류공영(人類共榮)의 이상을 실현하는 데에 이바지하게 함을 목적으로 한다.

홍익인간(弘益人間)은 널리 인간 세상을 이롭게 하라는 의미다. '인간 세상을 이롭게 한다.'라는 우리나라 교육의 이념이다.

교육의 기본이요 근본이다.

인간으로서 인간답게 사는 것이 가장 아름답다. 따라서 인간은 왜 사는가, 또 어떻게 살아야 하는가에 대한 끊임없는 질문과 성찰이 필요하다. 인간 세상을 널리 이롭게 한다는 이 말은 위대한 말이다. 우리나라 교육이념은 이 세상을 위하는 가치 있는 목표이다.

궁극적인 삶의 목적과 의미는 인간 자신이 스스로 찾아야 한다. 미래는 자신이 만들어야 하며, 미래를 결정하는 것은 첨단 기술이 아니라 바로 자신이다. 이를 가르치는 게 교사다.

"윗물이 맑아야 아랫물이 맑다"라는 말이 있다. 윗사람이 잘해야 아랫사람도 잘하게 된다는 뜻이다. 부모가 모범을 보여야 자식도 효자 노릇을 하게 된다는 의미다. 가정과 학교, 사회에서 기본이 바로 서는 교육을 제대로 하길 바란다.

우리나라의 미래는 지금 가치관의 선택에 달려 있다. 교육에서는 학생들이 무엇을 가치 있게 배울까 걱정이다.

교육에 왕도는 없다. 그러나 교육에는 기본이 있다.

기본을 잘 가르치고 배우는 대한민국 교육을 희망한다.

기본을 잘 지키는 대한민국 바란다. 미래를 위하여 기초를 튼튼히 하는 교육, 기본을 지키는 교육을 제대로 해야 한다. 기본을 잘 지키는 것이 본질이고, 기본이 미래이다.

교사의 삶은 변화이다

교사의 삶을 살펴보면 반복적인 삶이다.

유·초·중·고·대 학교생활은 모범적인 생활한 자이고, 교사의 생활도 대부분 그렇게 지낸다. 예외도 있다.

대부분 알뜰하게 생활하며 사는 삶이요, 모범적인 생활하는 삶이다. 교사의 삶은 평생 그러해야 하는 삶이다.

"바로 사는 것은 어떻게 사는 것이냐.'라는 말을 소크라테스에 의하면 바로 사는 것을 다음과 같이 말했다.

첫째, 진실하게 사는 것이요.

둘째, 아름답게 사는 것이요.

셋째, 보람 있게 사는 것이다.

공부를 잘하도록 돕는 게 교사의 삶이다. 학생을 가르치는 데 있어 모든 게 변하고 있다. 과거에는 욕설도 하고, 기합도 주고, 폭력도 사용했다. 부끄럽고, 그때의 학생들에게 미안하다고 지금이라도 말한다. 내 잘못이라고, 용서해 달라고, 사과한다. 교사로서 미흡한 점이 많았다.

과거 업무가 학생부였다. 학생부에서는 그렇게 하는 줄 알았고, 그렇게 했고, 누구도 간섭하지 않았던 시절이다. 세상이 변하고 있다. 학교 상황도 많이 변했고 변해야 하는 시대이다. 지금 제대로 잘하려고 새롭게 다짐한다. 학생들도 바로 하기를 희망하며 교육한다. 말도 바로 하고, 생각도 바로 하고, 행동도 바로 하고, 생활도 바르게 하고 있다.

교사의 삶은 언행일치이다. 모범을 보이며 교사로 사는 것이다. 말이 쉽지, 힘들 때가 많다. 바른 말 고운 말 쓰려고 노력하고 인내하자니 스트레스가 이만저만이 아니다. 참자니 소화가 안 되고 스트레스 쌓인다. 스트레스는 즉시 푼다. 심호흡하고, 물 먹고, 운동장 걷는다. 속상한 걸 화풀이 하자니, 대상이 가족이다. 이제는 어찌하랴. 지금부터라도 잘해주려고 노력하고 있다. 스트레스를 풀 방법을 생각 중이다. 나 스스로 좋은 인품으로 거듭나야겠다. 지금부터라도 잘해주려고 노력하고 있다.

그동안 배우고 가르친 게 내 삶이다.

교사 삶의 단순한 경험을 전하고자 이 글을 쓴다. 일부는 단순한 삶이 아니라고 할 수 있고, 일부는 공감할 것이다.

삶은 하루, 한 달, 일 년을 반복하는 삶이다. 교사는 더더욱 반복하는 다람쥐 쳇바퀴 삶이다. 학교를 옮기지만 늘 같은 일을 한다. 학생이 바뀌고 환경이 바뀌지만, 크게 보면 가르치는 삶의 반복이다. 보람과 만족은 기다리면 다가온다. 교사인 내가 마음먹기가 중요하다. 학교생활 참는 게 보약이고 명약이다. 교문 밖의 세상으로 나가면 뾰족한 방법이 나를 기다리면 좋겠지만 정글과 마찬가지이다.

학생과 대화가 잘 안 되는 이유는 내 생각과 학생의 생각이 다르기 때문이다. 미성숙하기 때문이다. 미래나 향후의 생각보다 지금, 이 순간의 생각만 하려고 한다. 교사는 잘 알아듣도록 꾸준하게 가르치는 게 의무요 사명이다.

내가 하는 일이 고귀한 일이고, 매우 중요한 일이다. 미래를 위한 일이다. 미래는 점점 변화하고 있다. 기술 교사는 변화에 빠르게 적응해야 한다. 내가 변하느냐가 문제다. 변화에 앞장서느냐, 따라가느냐의 선택은 나에게 달려 있다. 내 인생이다. 내 주변에 충고나 도움을 주는 사람이 많은지 살펴보자. 모든 일은 내가 정하고 내가 도전하고 내가 성취하는 것이다. 세상은 멈추는 게 아니라 발전하면서 잘 굴러간다. 세상은 늘 변화한다. 나도 변해야 한다.

수업은 교학상장(教學相長)이다.

교사는 수업으로 학생과 함께 교실에서 행복과 소질을 찾아 주는 게임을 한다. 자신의 수업에 고민이 없는 교사는 없다.

수업은 역지사지(易地思之)의 마음으로 해야 즐겁다. 이제는 학교 교육에 대하여 다시 생각할 때이다.

학생을 변화시키는 방법은 무엇일까?

교사를 변화시키는 방법은 무엇일까?

학교를 변화시키는 방법은 무엇일까?

교육을 변화시키는 방법은 무엇일까?

교사는 학생에 관한 관심과 사랑이 제일이다.

미래를 위한 교육이 이루어지는 교실에서 학생 개개인의 소질을 생각할 때이다. 좋아하는 것, 잘하는 것을 찾는 경험을 제공하는 곳이 학교다.

학교는 이제 바뀌어야 하며 변해야 하는 시기이다. 이 세상에 변하지 않는 것은 없다. 변하지 않는 것은 변한다는 사실뿐이다. 변화를 두려워하지 말고, 마음을 잘 다스려 변화에 앞장서는 교사이길 기대한다.

교사는 공부가 즐거운 노동으로 평생 습관화되어야 한다. 도전하는 마음을 가진 변환자 되어야 한다. 연구하는 교사는 공부하는 교사요 솔선수범하는 자이다. 교사는 늘 성장하고 변해왔고, 변화에 잘 적응하며 교육할 것이다. 여러분이 행복해야 하는 이유다.

교사가 행복해야 학생이 행복하다.
학생이 행복해야 학교가 행복하다.
학교가 행복해야 학부모가 행복하다.
학부모가 행복해야 사회가 행복하다.
사회가 행복해야 국가가 행복하다.

미래를 위하여

교사는 교과 전문 지식을 갖추어 학생들의 학습과 성장을 적극적으로 지원한다. 오늘날 교사가 갖추어야 할 역량은 다양하며, 몇 가지만 작성한다.

첫째, 평생 공부하는 태도이다.

평생교육 시대이다. 공부는 평생 해야 하는 업이다. 기술이 발달함에 따라 로봇과 인공지능이 일을 대신하고 있는 시대이다. 기술이 빠르게 발전하고 사회가 계속 변화하므로, 새로운 정보와 지식을 빠르게 습득하고 적응하는 능력이 필수이다.

이세돌 바둑기사가 인공지능과 바둑을 둔 게 2012년이다. 세월이 많이 흘렀다 "십 년이면 강산도 변한다."라는 말이 있다. 세월이 흐르면 변하지 않는 것이 없다는 말이다. 변화에 적응하고, 미래를 위한 공부는 필수이다.

찰스 다윈은 "강한 종이 살아남는 것이 아니라 변화하는 종이 살아남는다"라고 명언을 남겼다. 새로운 지식과 기술을 배우기 위해 책을 읽거나 강의를 듣고 미래를 준비한다.

온라인에서는 많은 공개 강의나 웹사이트를 통해 학습할 수 있다. 시대의 변화에 유연하게 대응하고, 새로운 상황에 잘 적응하는 게 필요한 때이다. 기술 교사는 변화에 적응하며 평생 꾸준하게 연구하고, 노력하는 공부하는 자세가 기본이다.

교사의 독서를 강조한다. 언제 책 읽을 시간이 있느냐고 할 수 있다. 하루 15분이다. 목표를 세우고 습관 되면 읽는 시간은 증가한다. 책은 도서관에 무료로 빌려보면 비용도 들지 않는다. 나는 이렇게 평생 학교생활을 했다. 구매한 책도 많다.

언제 글쓰기를 할 수 있느냐고 할 것이다. 하루에 '한 줄 쓰기' 하면 된다. 수업 시간에 학생이 떠들면 교무수첩이나 일지에다 바로 쓴다.

'왜 떠들까?'

그러면 된다. 해법이 즉시 나오기도 하지만 시간이 지나면 잊을 때도 많다. 한 줄을 쓰면 생각하게 되고 궁금해진다. 교육의 현명한 대답이 나타난다. 내 잘못인가? 학생 잘못인가? 아무런 일도 아닌가? 이유를 찾게 되고 바로 자신을 반성하는 길이 된다. 나를 찾는 시각이다. 한 줄 글 쓰면 나를 찾게 되는 순간이 된다. 독서와 글쓰기는 교사가 성장하는 지름길이다.

둘째는 인간관계 능력이다.

디지털 시대 인간관계는 더욱 중요하다. 인간관계는 시간이 지난다고 저절로 깊어지는 것은 아니다.

비고츠키는 "인간의 성장과 발전은 관계 속에서 이루어진다."라고 말했다. 인공지능 시대 사람을 사랑하고 사람을 존중하는 삶이 매우 중요해진다. 가정과 학교, 직장, 사회에서 인간관계는 더욱 중요하다. 본인이 원하는 삶을 살아가지만, 이기주의와 이타주의의 균형을 이루는 삶이 필요한 시대이다. 가족 간 관계는 혈연이요, 사회는 존중의 관계가 으뜸이다.

학생들과의 관계에서 관심과 사랑이 제일이다. 수업은 학생과의 관계가 원만하면 제대로 이루어진다. 서로 존중하고 사랑하는 데 관계가 멀어질 리가 없다. 복도에서 만나면 누가 인사해야 할까?

정답은 먼저 인사하는 사람이 정답이다. 교사가 먼저 인사하면 학생은 어떻게 할까? 교사, 행정직원 마찬가지다. 모두 잘하겠지만 일단 하면 된다. 관계가 멀어지지는 않는다.

학생을 존중하는 인간관계는 나를 높이는 지름길이요, 존경받는 방법이다.

기업체에서는 "인재는 고쳐 쓰는 게 아니라 골라 쓰는 거" 라고 한다. 다른 사람들과 소통하고 협력하는 능력을 키우는 데 집중해야 한다. 세상을 따뜻하게 하는 인간관계는 가정이 근본이요, 학교 교실에서 협력을 강조하며 가르쳐야 한다.

소통은 기본이다.

소통하지 못하면 고통이다. 의사소통은 만사형통이요 운수대통하는 일이다.

맹자는 사단(四端)을 말했다.[8]

사단은 유학(儒學)에서 인간의 본성(이성, 덕)을 가리키는 말이다. 맹자는 인간이 본래부터 선한 마음을 가지고 있다고 주장하는 성선설을 내세우며 이것을 사단(선을 싹틔우는 4개의 단서, 실마리)인 측은지심(惻隱之心) · 수오지심(羞惡之心) · 사양지심(辭讓之心) · 시비지심(是非之心)이다.

측은지심(惻隱之心)은 어려움에 부닥친 사람을 애처롭게 여기는 마음을 뜻한다. 수오지심(羞惡之心)은 의롭지 못함을 부끄러워하고, 착하지 못함을 미워하는 마음을 뜻한다.

---

8) 위키백과 사단
https://ko.wikipedia.org/wiki/사단

사양지심(辭讓之心)은 겸손하여 남에게 사양할 줄 아는 마음을 뜻한다. 시비지심(是非之心)은 옳고 그름을 판단할 줄 아는 마음을 뜻한다.

과거나 현재나 미래에도 이는 여전히 중요한 인간적인 능력들이라고 할 수 있다. 세상을 살면서 전문 분야의 사람들로부터 배우며 지내는 게 지혜를 얻는 지름길이다. 스스로 성장하고 발전하게 된다. 다양한 사람들과 협력하고 소통하고 존중하는 능력이 필요하다. 공부의 목적은 지속 가능한 세상을 위한 삶을 사는 게 홍익인간 삶이다.

셋째, 창의력과 상상력이다.

실제 경험하지 않은 현상이나 사물을 마음속으로 그려보는 힘, 그리고 새로운 것을 생각해 내는 능력이다.

4차 산업혁명 시대에 걸맞게 창의적인 인재 양성이 필요하다. 창의적인 인재는 청소년 시기 경험을 많이 하도록 기술 수업 시간에 해야 한다. 따라서 교사도 다양한 경험을 하는 공부가 필요하다. 다양한 지식과 여러 가지 경험을 통해 상상력과 창의력은 길러지게 된다.

창의력이 뛰어난 인물 하면 바로 스티브 잡스다. "창의성은 단지 사물을 잇는 것이다."라고 했다. 이것저것을 연결하는 것이요 상상이요 융합이다. 더하기나 빼기를 하는 생각과 행동으로 세상을 변화시키는 능력이다.

문제 해결 능력이 필요한 시대이다. 기술의 발전에 따라 복잡하고 어려운 문제를 효과적으로 해결하기 위한 논리적 사고력과 창의력이 요구된다. 기술의 발전에 따라 새로운 디지털 도구와 플랫폼을 이해하고 활용하는 능력은 더욱 중요해질 것이다. 이러한 능력들은 미래의 불확실성을 대비하고, 기회를 최대한 활용하기 위한 핵심역량이다. 사회 상황에 따라 요구되는 능력은 달라질 수 있다.

알베르트 아인슈타인은 "상상력은 지식보다 더 중요하다." 라고 했다. 디지털 시대에 더욱 필요한 능력이다. 호기심, 상상력, 문제 해결 능력, 창의성은 매우 중요하다. 어떻게 해야 발달할까? 독서와 사색이요, 궁리하는 거다. 창의력은 어느 날 갑자기 생기는 게 아니다. 꾸준한 노력과 깊이 있는 생각이다. 학교는 상상한 것을 직접 표현하고 만들어 보는 실행하는 능력이 필요하다.

넷째. 디지털 리터러시다.

인공지능이 발달하고 CHAT GPT가 더욱 발전할 것이다. 시대의 변화에 따른 역량을 갖추어야 한다. 디지털 리터러시란 정보를 검색하고 분석하는 능력, 온라인 의사소통과 협업을 하는 능력, 디지털 도구를 창의적으로 활용하는 능력 등을 포함한다. 교사는 최신 기술 동향과 전문 지식과 소프트웨어 코딩 능력도 갖추면 자신감이 크다.

도구와 공구, 기본적인 기계의 활용, 프로그래밍, 로봇 공학, 3D 모델링 등도 익혀두는 게 역량이다. 이를 통해 문제를 해결하고 창의적으로 사고하는 능력을 가르친다. 수업 시간 기술적인 어려움을 겪을 때 적절한 지원하는 방법이다. 학생들에게 문제를 해결 방법을 효과적으로 제공하는 기본적인 능력이다. 디지털 시대에 대응할 수 있는 기술적 역량을 함양하는 게 능력이다.

그렇다고 현재 잘하지 못한다고 너무 걱정하지 않기를 바란다. 누구나 다 때가 있다. 메이커 스페이스에서 배우거나 기술 교사 연수에 참여하면 된다. 각자 좋아하는 일, 잘하는 일, 하고 싶은 일을 찾아서 즐겁고 행복하게 지내길 바란다.

교사는 배우고 가르치는 일을 하는 삶이다. 나다움을 가지는 내 능력을 갖추는 게 새로운 미래 앞서가는 길이다. 배워 남 주는 삶이요, 가르치면 내 능력은 더욱 향상된다. 현재 배우고 가르치는 일이 미래의 자산이요, 미래 대한민국을 만드는 길입니다. 행복한 세상을 위한 교사의 길입니다.

공자 논어 옹야편의 유명한 글이다.

知之者 不如 好之者(지지자 불여 호지자),
好之者 不如 樂之者(호지자 불여 락지자)

"아는 사람은 좋아하는 사람만 못하고, 좋아하는 사람은 즐기는 사람만 못 하다"라는 뜻이다.

교사는 무엇을 하는 자인가?

교사는 현재 하는 일을 즐길 수 있을까?

교사의 실존적 의미는 무엇일까?

교사는 교육의 목적과 교육의 방법을 모두 알고 있지만, 제대로 실천하기가 힘들다. 교사는 대부분 청소년 시기의 개인 목표를 달성한 사람들이다. 교사가 되어 뜻을 펼치려니 현실에서 벽을 느끼며 지내는 게 학교 일상이다. 그래도 수업을 즐겁게 하면 나는 행복한 사람이다.

교사는 다양한 수업 방법을 연구한다.

마술도 배워 수업 시간 활용하고, 게임도 활용한다. 다양한 앱 활용도 하고 인공지능도 활용한다. 여러 가지 연구하고 궁리하는 자신이 자랑스럽다. 다만 현란한 수업 기술이 중요한지 질문한다. 교사는 교과의 지식이 우선이요 이해시키는 게 수업 역량이다. 교사는 학생을 위한 사람이다. 다만 정성을 다하면 좋은 추억이고, 스스로 만족한다. 교사의 보람찬 삶은 지금부터다.

홍익인간의 교육이념이 사라지지 않기를 바란다.

행복한 세상을 위한 교사의 길에 정답은 없다.

괜찮은 교사

좋은 교사는 견디는 선생님이다.
즐겁지만 마음 아픈 교사
그들에게 상처 입은 교사
속상한 마음과 정신과 육체가 힘든 교사
모두 다 좋은 교사이다.

좋은 교사는 부드러운 선생님이다.
따뜻하게 격려하고 인정받는 교사
열정과 사랑으로 희망을 주는 교사
보람과 만족이 충만한 긍정적인 교사
사랑스러운 교사이다.

이 세상에 공짜는 없다.
아픈 상처 없기를 바라지 마오
아픔은 성숙해지게 하며 성장하게 한다.
상처 딛고 일어서는 성찰하는 교사
그대여 진정 괜찮은 교사다.

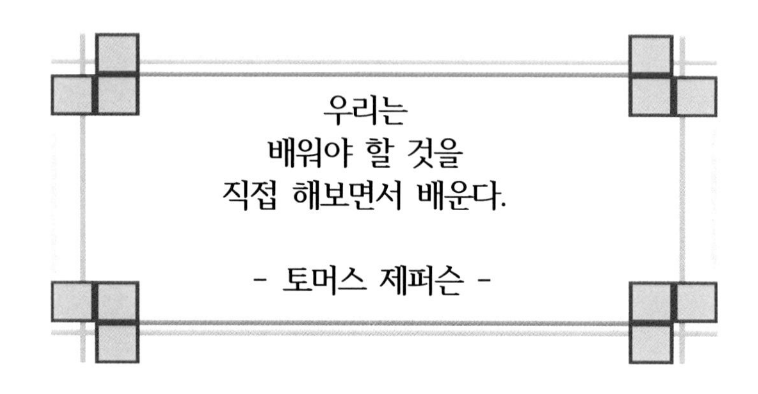
우리는
배워야 할 것을
직접 해보면서 배운다.
- 토머스 제퍼슨 -

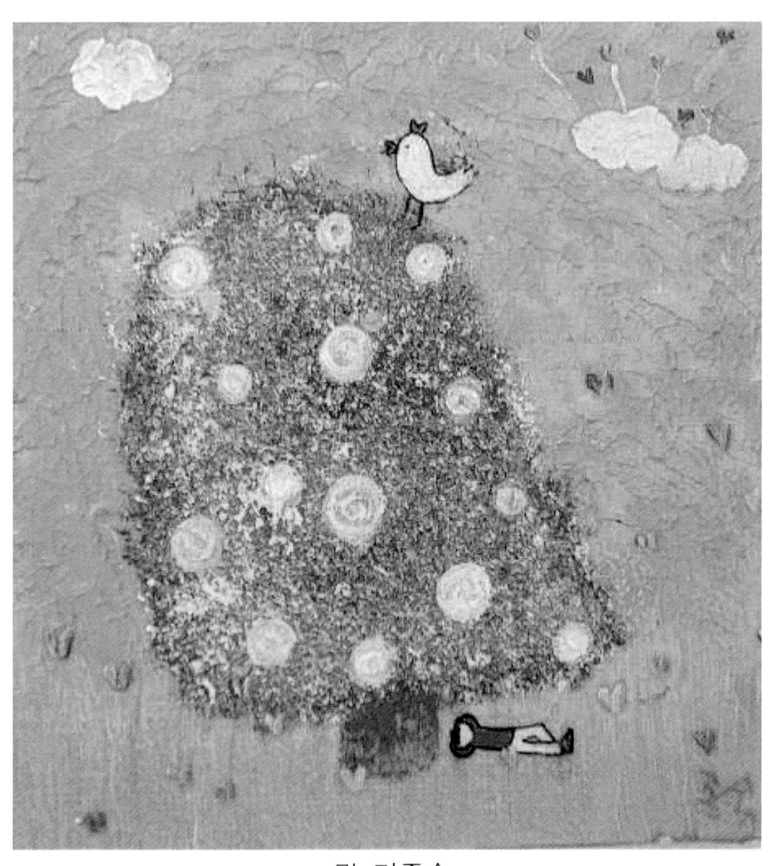

그림 김종숙

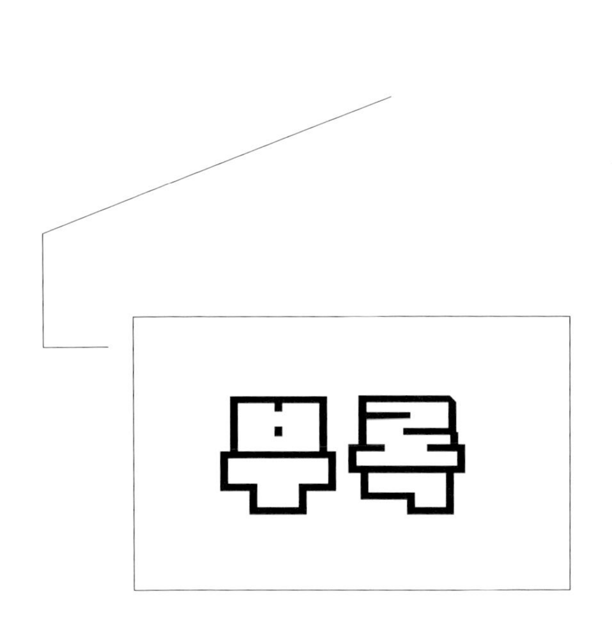
부록

칼럼 - 메이커(Maker)?

한국교육신문	
[현장 칼럼] 인공지능 시대의 메이커 교육 지속 가능한 대한민국의 위대한 미래를 위해, 홍익인간의 이념을 실천하는 메이커 교육 문화확산을 기대합니다.[9]	

교육 연합신문	
[교육칼럼] 인공지능 시대의 공부는 메이커로 “지속 가능한 대한민국 위대한 미래를 위하여, 홍익인간의 이념을 실천하는 메이커 교육을 기대합니다.”[10]	

9) 한국교육신문 https://www.hangyo.com/news/article.html?no=96737
10) 교육 연합신문 http://www.eduyonhap.com/news/view.php?no=64664

부록. 교수 · 학습 지도안

기술 · 가정과 수업 지도안

수업 교사	강신진	대상	2-5	일시	4.3. (월) 6교시
단원명	VI. 건설기술의 세계 1. 생활 속의 건설기술			장소	2-5 교실
핵심역량	창의적 사고 역량, 의사소통 역량, 정보 활용 역량			교과역량	창조, 혁신, 기술적 문제해결
수업유형	과제해결, 발표수업			수업형태	교실
성취기준	재조정 [9기가04-07] 건설기술과 관련된 문제를 창의적으로 해결한다.				
학습목표	1. 창의적인 건축 모형을 제작할 수 있다. 2. 건축 모형 작품 완성하고, 발표할 수 있다.				

단원 차시 구성

대단원명	VI. 건설기술의 세계 2. 건설기술 문제 해결 활동	
차시	대단원 수업 주제	평가
1차시	건설기술의 이해	
2차시	건설기술의 의미와 종류	
3~4차시	미래 살고 싶은 주택 아이디어 구상	과정 중심 수행평가
5차시	주택모형 만들기 기초과정	본시 수업 공개
6차시	평면도 그리기	과정 중심 수행평가
7차시 ~13차시	주택모형 실습 실습보고서 작성	과정 중심 수행평가
14~16차시	교량 모형 만들기 실습보고서 작성 피드백, 산출물 최종 작품 평가	최종 수행평가

기술 · 가정과 수업 지도안

본시 수업 흐름		교수·학습 활동	시간
도입	▸ 전시학습 확인 ▸ 동기 유발 ▸ 학습목표제시	- 인사 및 출결 확인 - 전시학습 확인 –> 미래 살고 싶은 주택 아이디어 구상 - 오늘 수업에 대한 안내, Q&A 실시 : 개별 질문, 전체질문과 답변 공유 : 전시 학습 과정에 대한 자기평가, 동료평가 안내 - 호기심(흥미) 유발-> 동영상(건축 제작 과정) 제시, [레고 창작] 김유정역 레고 (감자 TV) 내용: 건축 완성도, 학습 목표 칠판에 판서	5
전개	▸ 학습활동① ▸ 학습활동② ▸ 학습활동③	- '건축 평면도'-> 교과서 내용 제시 후 질문 및 발표 : 주택건설 이해-> 전체, 개별 질문을 통한 전체 공유 학생 개인별 질문 확인 -> 개인 맞춤형 평가 안내 - 주택모형 조립에 대한 안내 제작 과정 표현 순회지도 : 건설 과정 이해 및 교사-학생 상호 간 질문 ->공유 - 팀별 과제: 주택모형 조립 완성 하기(협동 수업 활동) : 교실 순회 -> 학생 관찰, 상호작용 Q&A 실시, 주택모형 조립 표현 관찰하면서 개인 피드백 시행	30
정리 및 평가	▸ 학습 정리 ▸ 형성평가	- 학생 작품 내용 정리 생각 나누기 발표- : 주택모형 조립 작품의 과정 정리 - 수업을 통해 알게 된 내 생각 소감 개인별 발표 : 학습 목표 주택모형 조립 과정 확인 및 과제 제출 - 주변 정리 정돈 및 마무리, -> 작품 최종 평가 안내 - 차시 예고(미래 살고 싶은 건축 모형 제작하기)	10

창의적인 주택 만들기 사례

1. 미래 살고 싶은 주택 아이디어 구상

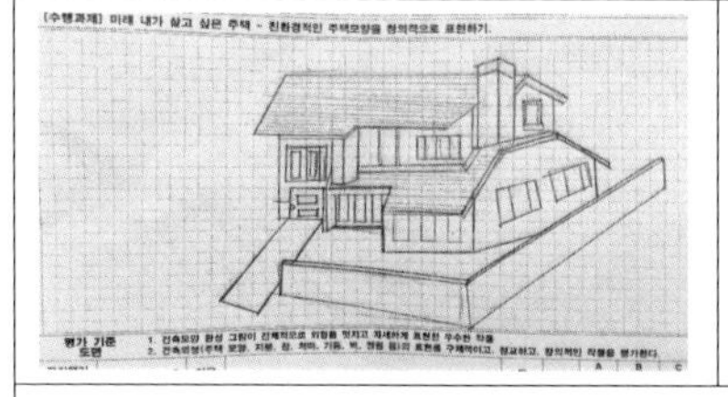

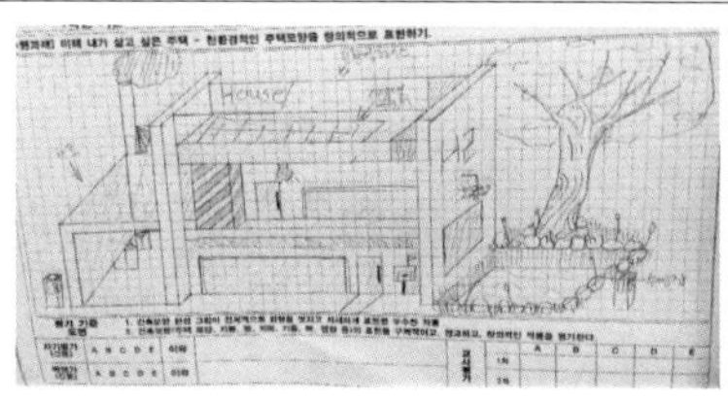

2. 미래 살고 싶은 주택 아이디어 구상

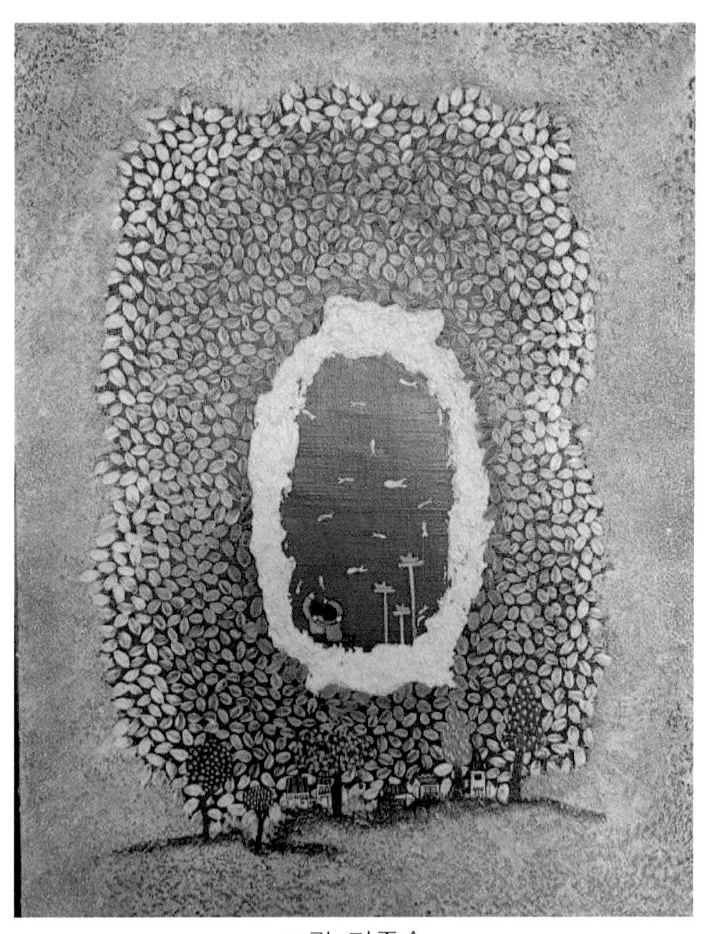

그림 김종숙

에필로그

평생 배우고 가르치는 삶이다

수업은 교학상장(教學相長)이다.

자신의 수업에 고민이 없는 교사는 없다. 교사는 수업으로 학생에게 행복과 소질을 찾아주는 Giver이며, Helper이고, 퍼실리테이터(Facilitator)이다. 교사의 일상은 수업의 연속이다. 하루, 일주일, 한 달, 일 년, 수십 년 교직 생애 기간 반복한다. 교사는 이 일을 평생 하는 일신우일신(日新又日新)의 삶이다. 수업은 역지사지(易地思之)이다.

교사는 배워서 남 주는 삶이다. 많이 공부해서 적게 가르치는 걸 모르고 지냈다. 대학 졸업 후 바로 발령이나 가르치다 보니 안하무인이요, 독불장군이 되었다. 지금 그때의 일을 생각하면 부끄러울 따름이다. 지난 일 어쩔 수 없지만 안타까운 일이다.

이제 가르치며 일기나 수업일지를 쓰니 가르침에 대해 성찰한다. 이는 경험에서 나오는 깨달음이다. 가르치면서 보람을 얻고 만족을 느끼는 일이며, 사명이라 생각한다.

교사의 학교 일상에 대한 학교생활 수업의 경험이다. 수업에 필요한 교수 학습에 대한 경험을 제공한 안내서이다. 열정과 사랑은 평생 같이하지 못해 아쉬움도 많다. 무사안일한 삶도 살았고, 요령도 많이 피웠던 교직이다. 교사는 평생 공부하는 삶이요, 배워서 남 주는 일을 하는 보람찬 직업이다.

이 책은 교사의 경험과 사례를 나열한 정보이다. 독서의 가치는 경험자의 간접 정보요, 반면교사(反面教師)이며, 삶의 지혜가 된다. 도서 『교육실천가 1』의 내용도 내용에 포함되어 있다.

교사는 학생을 가르치는 직업이지만, 많이 배우고 인간으로서 부족함을 깨닫는 일이다. 저 경력 시절엔 학교에서 별일 아닌 일이 화나고 혼내는 일상이다. 규칙이 뭐라고, 예절이 뭐길래 이런 걸 중심에 두고 따지고 지냈던 교직 일상이다. "그럴 수도 있지"를 이제야 깨닫는다.

1부는 신나는 학교생활 이야기

수업에 대한 경험과 업무, 행복한 교사 학교생활 경험을 나열하였다. 기술 교사는 학교에서 중추적인 업무를 담당하는 경우가 많다. 방송, NEIS, 학생 관련 업무 등을 담당했다. 학교의 일상에서 경험한 교육과정과 교수·학습의 내용을 담았다.

2부는 즐겁고 행복한 수업 이야기 교사의 공개수업에 관한 사례와 구체적인 내용에 대한 기록이다. 기술 수업 내용과 방법과 생활지도와 진로지도 중심으로 서술했다.

3부는 과정 중심 수행평가 실습 이야기 교사의 수업 경험에 관한 내용이다. 실습 계획과 준비, 과정 평가 방법 등 다양한 사례를 제시했다. 부족한 내용 및 추가하는 사항은 『교육실천가 3』을 제작하여 제시하고자 한다.

4부는 행복한 삶을 위한 기술 교사의 길, 교사 경험으로 바라본 세상을 그려본다. 행복한 교사의 미래상에 대하여 살펴본다. 5부는 교수·학습 지도안의 약식 사례다. 행복한 교사의 미래상에 대하여 살펴보고 제시했다.

기술 교사의 경험과 사례를 실은 이 책은 학교 일상 수업 경험을 다양하게 나열했다. 교사는 학교에서 최선을 다하고 잠시나마 여유를 가지고 재충전을 할 수 있는 시간이 휴일과 방학이다. 행복한 교사의 휴식과 여행, 힐링하는 생활은 자신의 가치를 찾으며, 교육의 질을 높여준다. 교사는 수업과 교무(校務)업무, 담임 등 생활지도를 담당하며, 평가하고 학교생활기록부에 기록한다. 교사로서 연구하고 가르치는 방법을 찾아 즐기며 행복한 학교생활을 제대로 하지 못해 아쉬운 게 많다.

지금 생각하면 가르침과 배움을 게을리하지 말아야 하고, 이를 지속하는 게 교사의 삶이라는 걸 다시 깨닫는다. 교사는 수업을 반복하는 삶이다. 수업에 대한 열정과 학생에 대한 사랑이 제일이다. 등교하여 수업 준비하고, 학생 상담하고, 매일 수업하고 업무처리하고 하루를 마친다. 교사는 현재의 희생과 봉사로, 미래의 희망인 학생을 가르치는 숭고한 일을 한다. 홍익인간 실천하려는 마음을 담고 싶지만 늘 부족하다.

이 책의 내용을 읽고 수업 역량이 함양되어, 교사 전문성이 높아지고, 좋은 수업으로 행복한 학교생활 하시기 기대한다. 책을 쓰면서 그동안 수업을 다시 한번 돌아볼 수 있는 마음으로 지금도 배우는 중이며, 수업 시간 경험 일부이다. 새롭고 특별한 내용보다는 일상의 수업 내용을 기록한 책이다.

그동안 수업하는 내 삶은 나를 찾게 해주고, 나를 성장시키는 수업을 꾸준하게 한 삶이다. 수업은 과정이다. 지난 추억을 되살리고자 한다. 평생 공부하는 평생학습 시대이다. 기술교사는 공부가 제일이다. 지식 공부, 세상 공부, 인생 공부한다. 모든 분에게 학교 경험, 수업 경험, 글쓰기 경험, 글을 쓰는 경험을 제공하고자 글을 썼다.

그동안 경험한 사실은 행정업무는 늘고, 학생들은 교사를 무시하고, 처우는 감감무소식이다. 교사의 삶이 생계유지요, 인재 양성이요, 세상에 이바지한 삶이다. 지금 생각하면 지혜를 얻는 일이고, 만족하는 삶이다.

내 삶의 경험을 이 글로 전한다. 그동안 수업 경험과 사례를 모두 제공할 수는 없지만, 일부라도 학교생활에 도움이 되길 바랍니다. 학생들을 가르치는 유·초·중·고등학교의 선생님께서 좋은 수업으로 즐겁고 행복한 학교생활을 기대합니다.

지금 내 마음은 The Beatles "Let it Be~"

평생 공부하는 삶, 배워 남 주는 삶, 앎을 실천하는 삶, 이런 교사가 교육실천가이다.

학교에서 학생과 함께 즐겁게 지내고, 행복한 교사 되시길 기대하며, 이 글을 전합니다.

고맙습니다. 감사합니다. 사랑합니다.

2023. 12. 수봉산에서

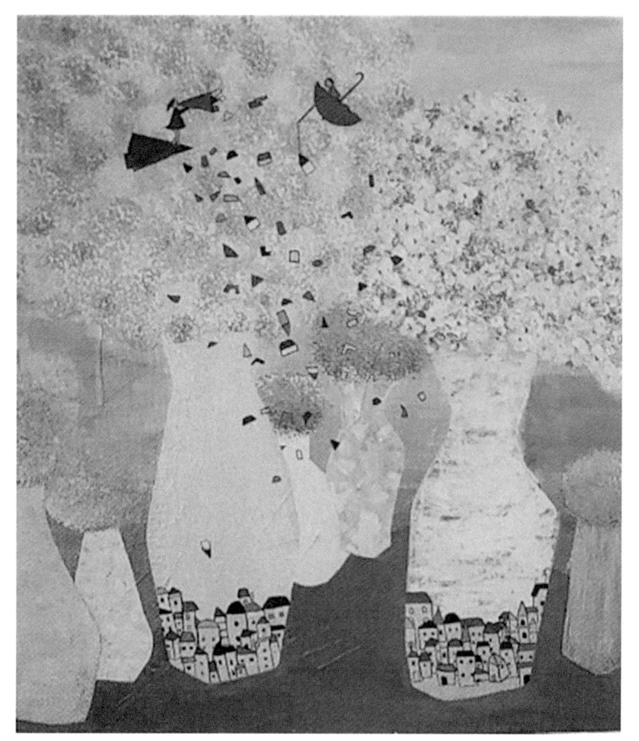

항해 / 53X45.5 /Acrylic canvas

김종숙 개인전 3회
인사동 감성 미술제 단체전(2016~2022)
그린나래 회원 단체전 6회
한국미협 미술교육 위원회 미교전 3회
2019 카자흐스탄 한국미술 초대전 입선
2019 대한민국 회화 대전 입상
2020 인사동 감성미술제 우수작가상 수상
2021 인사동 감성미술제 최우수 작가상 수상
2022 아트코리아 미술대전 수상

그림 김종숙

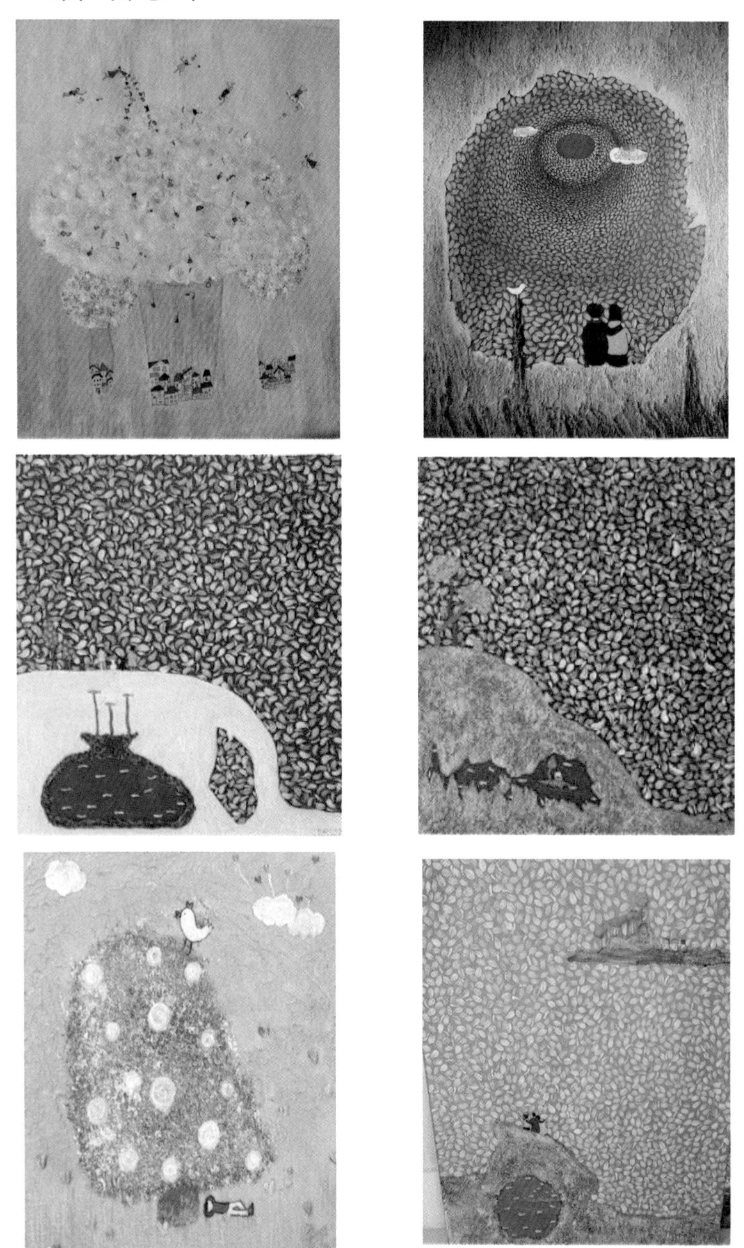

도서 소개

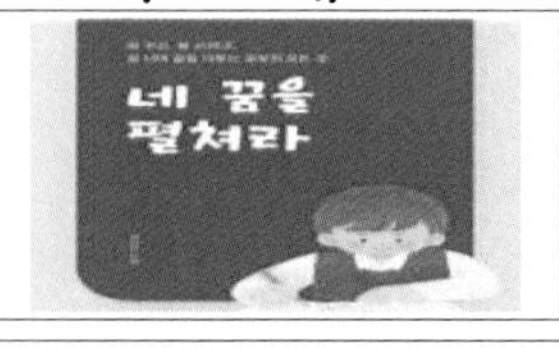	**《 네 꿈을 펼쳐라 》** 꿈을 꾸고, 꿈 잡(JOB)고, 꿈을 이루고, 꿈 너머 꿈을 이루는 이야기

《10대에게 알려주는 메이커(Maker) 정석》 10대에게 알려주는 메이커(Maker) 정석 10대들이여~ 만들면 세상이 바뀐다. 안내한 책	

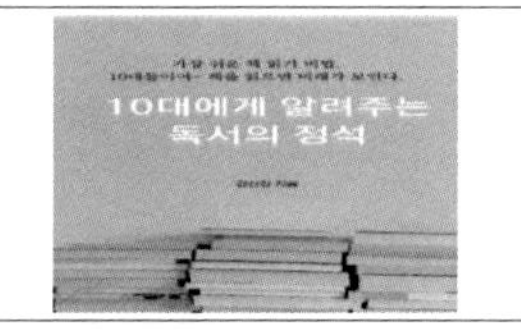	**10대에게 알려주는 독서의 정석 》** 책을 읽는 좋은 방법 책을 읽으면 미래가 보인다.

《행복해지는 교사들의 7가지 수업》 행복해지는 교사들의 7가지 수업에 관한 다양한 수업 방법과 경험을 안내한 책	

	**《 수석교사 수업 (Talk) 》** 수석교사 경험 이야기 수업 컨설팅과 교사 연수 경험에 대하여 나열한 이야기

《 내 마음의 시(詩) 》 교사의 학교생활 경험을 글과 시(詩)로 표현한 시 문집	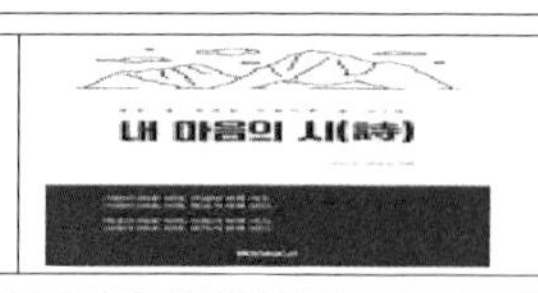

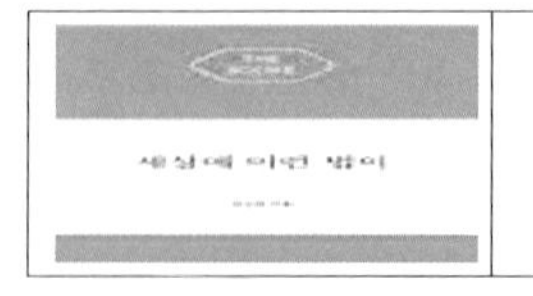	**《 세상에 이런 법이 》** 우리나라 헌법과 초·중등교육법의 일부를 교사, 학생, 학부모 관련한 교육법을 나열한 책

《 수석교사 제도 》 우리나라 수석교사제도 수석교사는 교사의 교수활동과 연구 활동을 지원하는 제도 책.	

《 10대에게 알려주는 글쓰기의 정석 》
10가지 가장 쉬운 글쓰기 비법
10대여~
글 쓰면 미래가 보인다.

《 행복 비타민 》
즐거운 삶을 위한 배움 비타민
앎을 위한 기쁨 비타민
꿈꾸는 삶을 위한 도전 비타민
행하는 삶을 위한 행복 비타민

《10대에게 알려주는 뤼튼에게 물어봐》
10대에게 알려주는 wrtn
뤼튼(wrtn) 기초 사용 방법

《 행복한 교사의 일상 》
행복한 교사의 일상에 관한 책
1년 4계절 일상을 시(詩)와 글로
그림으로 표현 한 책이다.

《누구나 글을 쓰고 작가 되는 비법) 》
누구나 글을 쓰고 작가 되는
무료 출판의 비법을 나열하고 방법을
제시한 책

《ChatGPT 활용 행복한 교사 되기》
ChatGPT의 기초적인 사용 방법과
학교 업무 및 수업 방법 설명한 책

《 나는 교육실천가 》
교육실천가의 삶 교사의
담임교사 경험과 기술 수업 관련
교육 경험을 나열한 경험담.

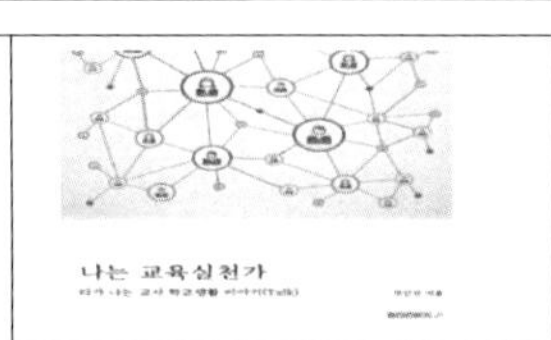

참고문헌

강신진, 《나는 교육실천가 1》, Book, 2023.
강신진, 《10대에게 알려주는 메이커 정석》, Book, 2023.
강신진, 《10대에게 알려주는 글쓰기 정석 10가지》, Book, 2023.
강신진, 《뤼튼(Wrtn))에게 물어봐》, Book, 2023.
강신진, 유덕철, 장양기 《ChatGPT 활용으로 행복한 교사되기》, Bookk, 2023.
강신진, 최진, 《누구나 글쓰고 작가되는 비법》, Bookk, 2023.
전은경,정지선, 《질문으로 완성하는 청소년 글쓰기》, 북바이북, 2021.
권희린, 《사춘기를 위한 문해력 수업》, 생각학교, 2023.
정연미, 《세상을 바꾸는 글쓰기 재발견》, 시간여행, 2022.
윤창욱, 《10대를 위한 글쓰기 특강》, 책밥, 2022.
박창식, 《일 잘하는 공무원은 문장부터 다릅니다》, 한겨레출판, 2021.
김남미, 《생각이 글이 되기까지》, 마리북스, 2021.
안건모, 《삐딱한 글쓰기》, 보리, 2014.
강신진, 유덕철, 《행복한 교사의 일상》, Bookk, 2023.
강신진, 유덕철, 《행복해지는 교사들의 7가지 수업》, Bookk, 2023.
강신진,장양기,유덕철, 《수석교사 수업 톡(talk)》, Bookk, 2023.
강신진, 원성균, 《내 마음의 시(詩)》, Bookk, 2022.
강신진, 《수석교사 제도》, 부크크, 2023.
강신진, 《세상에 이런 법이》, 부크크, 2022.
강신진, 《네 꿈을 펼쳐라》, Bookk, 2023.
강신진, 《누구나 쉽게 ChatGPT 활용법》, Bookk, 2023.
나상훈. 《글은 잘 못쓰지만 작가는 되고 싶어》, 부크크, 2022
장윤영. 《퇴근후 글쓰기》, 부크크, 2021
이상민. 《책쓰기 정석》, 라의눈, 2017
송숙희. 《책쓰기의 모든 것》, 인더북스, 2016
강신진, 《행복해지는 교사들의 7가지 수업》, Bookk, 2023.
강원국, 《강원국의 글쓰기》, 메디치미디어, 2018
송숙희, 《150년 하버드 글쓰기 비법》, 유노북스, 2022.
송숙희, 《초등학생 150년 하버드 글쓰기 비법》, 유노라이프, 2021.
이상민, 《보통 사람을 위한 책쓰기》, Denstory, 2020.
이상민, 《책쓰기의 정석》, 라의눈, 2017.
유시민, 《유시민의 글쓰기 특강》, 생각의 길, 2015
샌드라 거스저/지여울역, 《묘사의 힘》, 윌북, 2021
최승필. 《공부머리 독서법》, 책구루, 2018
제프 켈러 저, 김상미 역, 《모든 것은 자세에 달려있다》, 아름다운사회, 2015
강인애, 윤혜진, 황중원. 《메이커교육-4차 산업혁명 시대에 다시 만난 구성주의》,(2017). 내하출판사
강인애 저,《왜 구성주의인가?정보화시대와 학습자중심의 교육환경》,문음사.1997
강인애 외 3인 저, 《메이커교육의 이론과 실천》,내하출판사. 2019
강인애,윤혜진,황중원 공저 《메이커교육:4차 산업혁명 시대에 다시 만난 구성주의》, 내하출판사: 2017
김근재, 권혜성(2020), 《메이커교육대백과》,테크빌교육(즐거운학교)

김진수, 《2020융합 STEAM 교육의 이해》,김방희, 김진옥,공감북스
김승,강지훈, 유정윤, 《상상하고 만들고 해결하고》,한양대사회혁신센터(2019) 다빈치하우스 미디어숲

마셜 맥루언, 김성기,이환우역, 《미디어의 이해-인간의 확장》,민음사 (2002)
전상현, 《메이커교육 사용설명서(2019), 테크빌교육
조병익, 《창의성을 디자인하라) ,(2020), 동아엠엔비
최인수,변문경,박찬,김병석,박정민,전수연,전은경, 《4차산업수업혁명》,(2019),다빈치 BOOKS
한호택(2018), 《10대에게 권하는 공학》, 글담출판사
손화철(2020), 《호모파베르의 미래》,아카넷
이민화(2016), 《4차 산업혁명으로 가는길》,KCERN
김영채(2007), 《창의력의 이동과 개발》,교육과학사
로버트루트번스타인,미셸루트번스타인 박종성역,(2007) 《생각의 탄생》,에코의서재
변문경,박찬,김병석,이정훈, 《메타버스에듀테크》, 다빈치BOOK,2021
김건용(2006), 《발명교육을 통한 창의성 효과》, 한국학술정보원

참고 문헌

강인애, 김양수, 윤혜진 (2017). 메이커교육을 통한 기업가정신 함양: 대학교 사례 연구, 한국융합학회논문지,
강인애, 김홍순, 메이커 교육(Maker education)을 통한 메이커 정신(Maker mindset)의 가치 탐색, 경희대학교 교육대학원(2017)
권유진, 박영수, 장근주, 이영태, 임윤진, 이은경, 박성석, 학교 교육에서의 메이커 교육 활용 방안 탐색, 한국교육과정평가원 (연구보고 RRI 2019-6)
김지영(2017)다석가지 미래교육 코드, SOULHOUSE 권호정, 권영선, 장병탁, 송기원, 윤성민(2016) 호모 컨버전스, 아시아
성기선, 한국교육과정평가원 학교 교육에서 메이커 교육의 효과적 실행을 위한 논의점 (연구자료 ORM 2019-54-3)
김도현, 김성경, 김지훈, 김현주, 류승완, 박세영, 박영준, 박주용, 손가향,신지현, 심재광, 엄주홍, 유현석, 이미진, 이상욱, 최광수, 추형욱, 한혜연, 메이커교육실천 , 한국과학창의재단 (2019년 1월 제작)
전다은, 김도현, 김성경, 김지훈, 김현주, 류승완, 박세영, 박영준, 박주용, 손가향, 신지현, 심재광, 엄주홍, 유현석, 이미진, 이상욱, 최광수, 추형욱, 한혜,시민메이커교육가이드북, 한국과학창의재단, 2018
RR 2018-5_메이커스페이스 학습 환경 구축 가이드라인 개발 연구.pdf연구보고 RR 2018-5
메이커스페이스학습 환경 구축 가이드라인개발 연구
연구책임자 : 정종욱 (브레이너리)공동연구원 : 김성희 (브레이너리)민성혜 (브레이너리)이은환(한국교육학술정보원)정동화 (㈜메카솔루션)과제책임자 : 김진숙 (한국교육학술정보원)
전연홍 정현미, 메이커 교육의 수업 프로그램 유형 분류, 안동대학교, 2019
황요한,이혜진,메타버스와 NFT를 활용한 메이커교육의 방향 탐색:오너와 셀러의 대체불가능한 경험 모델(TMIOSS)을 중심으로, 전주대 영미언어문화학과, 2022

김민철, 전남대학교 논문,미국의 STEM 교육 정책과한국의 STEAM 교육 정책의 비교,전남대학교대학원 교육학과 2013.2
교육과학기술부(2012b). 2012년도 융합인재교육(STEAM)사업 및 과학기술인재육성사업 공고.
한국과학창의재단(2012). 2012년 융합인재교육(STEAM) 프로그램 개발 공모(한국과학창의재단 공고 제 2012-53호). 서울: 저자.
현장에서 정책으로: 팬데믹 2년, 교육의 디지털 전환 경험 성찰을 통한 미래 구상(RM2022-03) 연구보고서, 한국교육개발원 2022
메이커 스페이스구축·운영사업 성과조사, 성과조사-2020
용역수행기관 : ㈜한국리서치앤연구원참여인력 : 박욱열 대 표최민정 책임연구원류자룡 책임연구원김윤환 책임연구원오승록 선임연구원
임지민, 장희숙. (2021). 인문계열 학생을 위한 디지털 메이커 교육에 관한 연구. 2021 한국경영정보학회 춘계통합학술대회, 272-275.
이승민 (2017) 제4차 산업혁명시대, 국내.외 메이커 스페이스 동향전략기획팀 기획평가단, 2017. 12. 15
권유진,박영수, 장근주, 이은경, 이영태, 임윤진, 박성석(춘천교대, 학교 교육에서의 메이커교육 활용 방안 탐색, KICE 연구리포트 2019
이옥형, 메이커문화 확산정부·대학, 중소벤처기업부 창업생태계조성과장
박인우)류지헌 조상용손미현장재홍류진선 장민성 증강현실(AR)과가상현실(VR) 콘텐츠이해및 교육적 활용방안, 2017 KERIS 이슈리포트(한국교육학술정보원)
4차 산업혁명 시대 한국형 메이커 교육의 방향성 탐색 변문경*·최인수,성균관대학교 교육학과성균관대학교 인재개발학과, 아동청소년학과

참고 사이트

서울 발명교육센터 슬기로운 랜선 메이킹
https://www.youtube.com/channel/UCyc4WL4k-6Gxp3y5JluRQIw/videos
한국발명진흥회: https://www.kipa.org/kipa/index.jsp
발명교육포털: http://www.ip-edu.net
전국기술교사모임: http://ktta.or.kr/index.php
한국과학창의재단: https://www.kofac.re.kr
특허청 정보검색: http://beginner.kipris.or.kr
국립중앙박물관 발명품경진대회 검색: https://www.science.go.kr
발명교육포털 학생발명전시회 작품: https://www.ip-edu.net
메이커교육 활성화 조례: http://www.law.go.kr
특허청 특허로: https://www.patent.go.kr/
국립중앙박물관 발명품경진대회 통합검색: https://www.science.go.kr
발명교육포털 학생발명전시회 작품 검색: https://www.ip-edu.net
메이커교육: https://www.makered.kr
창업진흥원 메이크올: https://www.makeall.com
메이커교육 활성화 조례: http://www.law.go.kr
시가 꽃피는 마을 https://m.blog.naver.com/edusang/221493647742

한국에서 '메이커'로 성공하려면 / YTN 사이언스
https://www.sciencetimes.co.kr/?p=172514
특별기획_1인 제작의시대_메이커_20171126 ,서울경제 TV
https://www.youtube.com/watch?v=FzFLMgBUsSk&ab_channel=sentvspecial

[다큐S프라임] - 나는 메이커입니다 1부
https://www.youtube.com/watch?v=Wycd50r17mc&t=206s&ab_channel=YTNdmb

2021 발명교육 컨퍼런스
https://www.youtube.com/watch?v=La4IYCNVITs&t=7018s&ab_channel=%EA%B8%B0%EB%B0%9C%ED%95%9C%EB%B0%9C%EB%AA%85%EC%86%8C_%ED%95%9C%EA%B5%AD%EB%B0%9C%EB%AA%85%EC%A7%84%ED%9D%A5%ED%9A%8CKIPA
메이커 시대가 온다 l KBS
https://www.youtube.com/watch?v=AVLJ1JBgg0M&ab_channel=KBS%EC%A7%80%EC%8B%9D
2021 발명교육컨퍼런스 -정종욱 특강 1:21~
https://www.youtube.com/watch?v=La4IYCNVITs&t=7018s&ab_channel=%EA%B8%B0%EB%B0%9C%ED%95%9C%EB%B0%9C%EB%AA%85%EC%86%8C_%ED%95%9C%EA%B5%AD%EB%B0%9C%EB%AA%85%EC%A7%84%ED%9D%A5%ED%9A%8CKIPA
2020신년특집 ebs 다큐멘터리- 1부 우리아이 AI네이티브입니까?
https://www.youtube.com/watch?v=6UbGnNZicU0&ab_channel=%EC%A7%B1%ED%94%BC%EB%94%94%2F%EC%9E%A5%EC%A7%80%ED%9B%88
Dale Dougherty: We are makers
https://www.youtube.com/watch?v=mlrB6npbwVQ&ab_channel=TED
메이커 운동의 창시자 데일 도허티 인터뷰
http://mdesign.designhouse.co.kr/article/article_view/108/79125
메이커 운동 선언(Maker Movement Manifesto)
https://ckmakers.com/79/?q=YToxOntzOjEyOiJrZXl3b3JkX3R5cGUiO3M6MzoiYWxsIjt9&bmode=view&idx=3819984&t=board
2020신년특집 ebs 다큐멘터리- 2부 우리아이 AI네이티브입니까?
https://www.youtube.com/watch?v=-p_IY4AWDg8&ab_channel=%EC%A7%B1%ED%94%BC%EB%94%94%2F%EC%9E%A5%EC%A7%80%ED%9B%88
구글스타일 인재로 키우는 메이커 교육(초등학부모가 알아야할 100가지, 58번째 이야기)
김선호의 초등교사입니다
https://www.youtube.com/watch?v=BUuGBHWmZkk&ab_channel=%EA%B9%80%EC%84%A0%ED%98%B8%EC%9D%98%EC%B4%88%EB%93%B1%EC%82%AC%EC%9D%B4%EB%8B%A4
위키백과 https://ko.wikipedia.org/wiki/제4차_산업혁명
위키백과 https://ko.wikipedia.org/wiki/챗봇

학교에서 메이커 교육을? 2편 - 학생은 능동적 학습자! 재료?결과?동아리?
https://www.youtube.com/watch?v=GGmqMqouTfA&ab_channel=%EB%A9
%94%EC%9D%B4%EC%BB%A4%EB%8B%A4%EC%9D%80%EC%8C%A4
글루건 공예 작품 사례글루건 아이디어와 공예 20가지
https://www.youtube.com/watch?v=zM4spc3QnjI&ab_channel=5%EB%B6%8
4Tricks%ED%94%8C%EB%A0%88%EC%9D%B4
3D 프린터란 무엇인가
https://www.youtube.com/watch?v=LP8B0JX1SD8&ab_channel=%ED%95%9
C%EA%B8%B0%EB%8C%80HRD%EB%B8%8C%EB%A6%BF%EC%A7%80
3D 프린터의 세계 / YTN 사이언스
https://www.youtube.com/watch?v=wP5T0J50AFU&ab_channel=YTN%EC%
82%AC%EC%9D%B4%EC%96%B8%EC%8A%A4
삼성 뉴스룸 "메이커 운동, 웹보다 더 크게 확산될 것"
https://news.samsung.com/kr/%EB%A9%94%EC%9D%B4%EC%BB%A4-%E
C%9A%B4%EB%8F%99-%EC%9B%B9%EB%B3%B4%EB%8B%A4-%EB%8D%94
-%ED%81%AC%EA%B2%8C-%ED%99%95%EC%82%B0%EB%90%A0-%EA%B2
%83
경기도학습포털새로운 산업혁명을 주도하는 메이커운동
https://www.gseek.kr/member/rl/courseInfo/onCourseCsInfo.do
https://m.blog.naver.com/PostView.naver?isHttpsRedirect=true&blogId=ky
utto&logNo=221570629860
http://blockchainai.kr/client/news/newsView.asp?nBcate=F1002&nMcate=
M1003&nIdx=23771&cpage=9&nType=1
https://www.skcareersjournal.com/21
https://m.etnews.com/20180605000324
http://kedi.re.kr/khome/main/research/selectPubForm.do?plNum0=14734
https://m.blog.naver.com/PostView.naver?isHttpsRedirect=true&blogId=cj
ysy7&logNo=220399328399
부크크 (https://www.bookk.co.kr)
유페이퍼 (https://www.upaper.net)
네이버 메모장 (https://www.naver.com)
브런치스토리 (https://brunch.co.kr)
워드클라우드생성기 (https://wordcloud.kr)
문화체육관광부 (https://www.mcst.go.kr)
문화체육관광부 출판사 검색 (http://book.mcst.go.kr)
한국출판문화산업진흥원 (https://www.kpipa.or.kr)
전자신문 https://www.etnews.com/20230706000179
https://m.blog.naver.com/PostView.naver?isHttpsRedirect=true&blogId=er
ke2000&logNo=220254883646
교육기본법 국가법령정보센터법규 https://www.law.go.kr/법령/교육기본법
교육부 모두를 위한 맞춤교육
https://blog.naver.com/moeblog/222393929846
나무위키 https://namu.wiki/w/챗봇

위키백과 (https://ko.wikipedia.org/wiki/홍익인간)
위키백과 (https://ko.wikipedia.org/wiki/웰빙)
위키백과 https://ko.wikipedia.org/wiki/ChatGPT
위키백과 https://ko.wikipedia.org/wiki/김홍도
교육기본법 국가법령정보센터법규 (https://www.law.go.kr/법령/교육기본법)
위키백과 https://ko.wikipedia.org/wiki/ChatGPT
한국교육신문https://www.eduyonhap.com/news/view.php?no=64664
교육연합신문https://www.hangyo.com/news/article.html?no=96737
전자신문 https://www.etnews.com/20230706000179
Dale Dougherty: We are makers
https://www.youtube.com/watch?v=mlrB6npbwVQ&ab_channel=TED
https://ko.wikipedia.org/wiki/%ED%94%84%EB%A1%9C%EC%8A%88%EB%A8%B8
학생들이 배우는 최신 메이커 수업은? 수업 사례를 중심으로
https://www.youtube.com/watch?v=rz6zz4l2T4w&ab_channel=%EC%83%9D%EA%B0%81%EB%8C%80%EB%A1%9C%EB%A9%94%EC%9D%B4%EC%BB%A4%EC%A0%95%EC%88%98%EC%8C%A4
덕후, 성공의 조건 [디큐S프라임] / YTN 사이언스
https://www.youtube.com/watch?v=r3JyBT7ctHk&ab_channel=YTN%EC%82%AC%EC%9D%B4%EC%96%B8%EC%8A%A4
[교육부 공식 블로그:티스토리] https://if-blog.tistory.com/12177
메이크올(Make all) https://www.makeall.com/home/kor/main.do
위키백과
https://ko.wikipedia.org/wiki/%EB%A9%94%ED%83%80%EB%B2%84%EC%8A%A4
행복한교육
https://happyedu.moe.go.kr/happy/bbs/selectHappyArticleImg.do?nttId=9601&bbsId=BBSMSTR_000000000191
메이커 운동
https://www.youtube.com/watch?v=Yb0f1kEgyZs&list=PL0Vl139pNHbdCqizCEMVmusl9OVYUlS5r&index=5
한국경제신문 AI가 바꾼 교육 패러다임
https://m.post.naver.com/viewer/postView.naver?volumeNo=27860587&memberNo=15194331
경남일보 [경남시론] 김동규(고려대 명예교수)
http://www.knnews.co.kr/news/articleView.php?idxno=1207198
교육부 네이버 포스트
https://m.post.naver.com/viewer/postView.naver?volumeNo=27860587&memberNo=15194331
한국교육신문 https://www.hangyo.com/news/article.html?no=83823

책의 일부 그림은 뤼튼(Wrtn)에서 그려준 그림을 사용했습니다.
https://wrtn.ai/

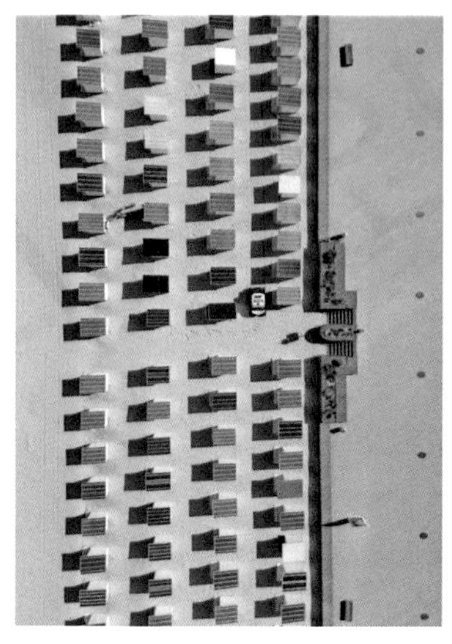

저 자 | 글 강신진
그림 김종숙

발 행 | 2023년 12월 30일
펴낸이 | 한건희
펴낸곳 | 주식회사 부크크
출판사 등록 | 2014.7.15.(제2014-16호)
주 소 | 서울특별시 금천구 가산디지털1로 119
(SK 트윈타워 A동 305호)
전 화 | 1670-8316
이메일 | info@bookk.co.kr

ISBN | 979-11-410-6151-7

www.bookk.co.kr